科学新知系列

可怕的科学
HORRIBLE SCIENCE

不为人知的奥运故事
FLAMING OLYMPICS

[英]迈克尔·科尔曼 原著 [英]艾丹·波茨 绘 尹朝霞 林春城 译

U0257191

北 京 出 版 集 团
北京少年儿童出版社

著作权合同登记号

图字:01-2009-4317

Text copyright © Michael Coleman

Illustrations copyright © Aidan Potts

Cover illustration © Rob Davis, 2009

Cover illustration reproduced by permission of Scholastic Ltd.

图书在版编目(CIP)数据

不为人知的奥运故事/(英)科尔曼(Coleman, M.)原著;(英)波茨(Potts, A.)绘;尹朝霞,林春城译. 2版.—北京:北京少年儿童出版社,2010.1

(可怕的科学·科学新知系列)

ISBN 978-7-5301-2385-0

Ⅰ.不… Ⅱ.①科… ②波… ③尹… ④林… Ⅲ.奥运会—少年读物 Ⅳ.G811.21-49

中国版本图书馆 CIP 数据核字(2009)第 195956 号

可怕的科学·科学新知系列
不为人知的奥运故事
BU WEI REN ZHI DE AOYUN GUSHI

[英]迈克尔·科尔曼　原著

[英]艾丹·波茨　绘

尹朝霞　林春城　译

＊

北 京 出 版 集 团
北 京 少 年 儿 童 出 版 社　出版
(北京北三环中路6号)
邮政编码:100120

网　　址:www.bph.com.cn
北 京 出 版 集 团 总 发 行
新 华 书 店 经 销
三河市天润建兴印务有限公司印刷

＊

787毫米×1092毫米　16开本　9.25印张　50千字
2010年1月第2版　2021年11月第34次印刷
ISBN 978-7-5301-2385-0/N·173
定价:22.00元
如有印装质量问题,由本社负责调换
质量监督电话:010-58572393

激情奥运

到1996年的7月，夏季奥运会已有100年历史了。1896年，现代奥运会起源于希腊。1996年，百年奥运在美国的亚特兰大举行。2008年，奥运会在中国举行。

现在，让我们来回答一个问题：为什么一提到奥运会，人们很容易联想到"激情"这个词呢？

是因为：

▶ 庆祝夏季奥运会100周年。

▶ 奥运会的跑道都是火山喷发后遗留下来的。

▶ 许多比赛都在炎热的夏季举行。

▶ 奥运会的发起者是一个耀眼的明星。

如果你选择了以上任意一个答案，那么，非常抱歉，你答错了。

我们还有另外四个答案可供选择，来看一看，哪一个才比较贴切呢？

▶ 奥运会上有很多精彩的表现。

▶ 奥运会上有很多激动的面孔。

▶ 奥运会上有很多耀眼的明星。

1

▶ 奥运会上有很多出色的团队。

如果你选择以上的任意一个答案，那么，答案就很接近了。在现代奥运会举办后的100多年间，奥运会竞赛中确实出现了许许多多精彩的表现，激动的面孔，耀眼的明星和出色的团队！

让我们先在字典里查一查"激情"这个词，你就会发现，"激情"本身就有"情绪变得异常激动、愤怒"之意。实际上，在世界上任何一种比赛当中，都没有像在奥运会上，有那么多令人高度激动、兴奋和愤怒的事情发生。

古代奥运会（大概从公元前776年到公元394年）如此，现代奥运会也是如此。实际上，从1896年现代奥运会举办以来，每次比赛都会出现许多奇人逸事。奥运会没有被重新命名为"奥林匹克娱乐和游戏"，也真是一个奇迹。

这本书讲述了有关夏季奥林匹克运动会的很多有趣的事情，这些故事肯定会让你耳目一新的，比如：

▶ 奥运会上的冠军和傻瓜。

▶ 奥运会上的竞技和骗术。

▶ 奥运会上的争执和意外。
想知道到底是怎么回事吗？
那么，就开始你的阅读吧！

古代奥运会

奥林匹克运动会并不是一个新名词，它已经有大概2500年的历史了——这应该比你的老师的出生时间还早吧（虽然你可能非常想去验证一下）！古代奥运会起源于古老的伊利斯王国（位于今天的希腊）的一个叫作"奥林匹亚"的地方，这也是奥林匹克这个词的来历。

关于奥林匹克运动会有很多种不同的传说，但各种传说都离不开古希腊的一位英雄——赫拉克勒斯……

赫拉克勒斯大事记

现在大家所熟知的赫拉克勒斯是古希腊神话中的"超人"，他应当是宙斯的儿子。宙斯是古希腊神话中掌管雷电的天神！这或许可以说明为什么赫拉克勒斯会有暴雷般的脾气。赫拉克勒斯最早发脾气是在一次音乐课上，老师批评他的竖琴演奏得不好，他不能接受。你猜赫拉克勒斯做了什么？他抡起竖琴，一下子就打死了他的老师。

那是一只鸟？一架飞机？不，那是赫拉克勒斯！

这难道就是现代音乐发出的第一个音符吗？

在那之后，赫拉克勒斯又陆续杀死了其他一些生灵——包括一头狮子，直到有一天，他杀死了自己的几个孩子。这使得天神们非常生气，虽然赫拉克勒斯一再表示歉意，可天神们认为仅有道歉是远远不够的。

作为惩罚，天神们交给赫拉克勒斯12件大事去完成，这可真是一次超级惩罚——这些工作后来就成为著名的赫拉克勒斯12件大事，其中一件就是为安哥拉国王做事。

赫拉克勒斯按时穿上了他最好的衣服，但他很快意识到穿上这件衣服有多么滑稽。当时的情况是这样的：

你能帮忙算算
赫拉克勒斯要做的工程有多浩大吗？

3000头公牛 × 每天2泡牛粪 = 每天＿＿＿泡牛粪

每天的牛粪总量 × 365天（不考虑闰年）= 每年＿＿＿泡牛粪

每年的牛粪总量 × 30年（已经有30年未打扫了）= ＿＿＿泡牛粪

答案

> 每天6000泡；每年2 190 000泡；一共65 700 000泡！赫拉克勒斯要打扫一座牛粪山了！

赫拉克勒斯成功地完成了他的工作，他是怎么做的呢？很简单，他没有用扫帚和簸箕一点点地打扫，而是用他的超能力改变了两条河的方向，让两条河流过牛圈，把牛圈冲刷干净了。

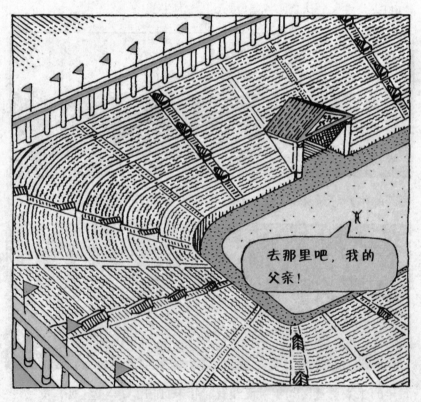

就这样，赫拉克勒斯很为自己的成功感到兴奋，为了向其他人显示他的强壮和机敏，他决定举办一场竞赛。他把这场竞赛称为奥林匹克运动会，并以此来纪念他的父亲宙斯。

令人激动的节日

现在看来，奥林匹克的仪式确实发生了很大的变化。古代奥运会刚开始时，主要是一种宗教仪式，要进行祷告，屠宰牲畜，来纪念天神宙斯。

最初的奥运会只举行1天，但是很快，越来越多的运动项目被加进来，因此就需要2天；再以后，随着比赛规模的扩大，比赛的天数也随之增加。到公元前692年，奥林匹克运动会就要举办整整5天了。

接下来，让我们先讲一些早期的奥运会日程安排吧。

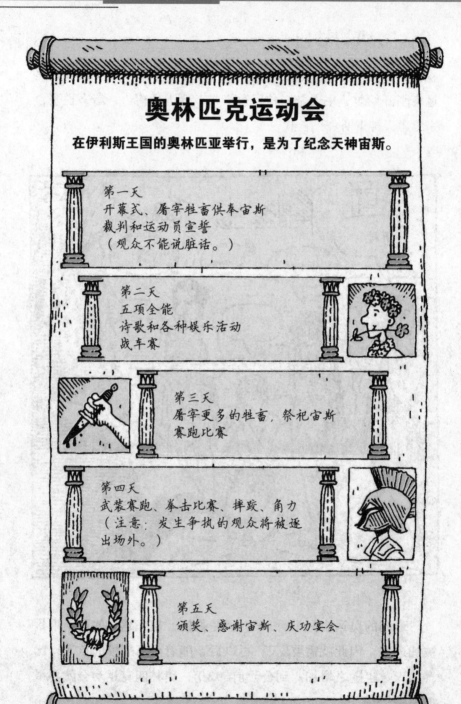

奥林匹克运动会

在伊利斯王国的奥林匹亚举行，是为了纪念天神宙斯。

第一天
开幕式、屠宰牲畜供奉宙斯
裁判和运动员宣誓
（观众不能说脏话。）

第二天
五项全能
诗歌和各种娱乐活动
战车赛

第三天
屠宰更多的牲畜，祭祀宙斯
赛跑比赛

第四天
武装赛跑、拳击比赛、摔跤、角力
（注意：发生争执的观众将被逐
出场外。）

第五天
颁奖、感谢宙斯、庆功宴会

第一天 宣誓

在开幕式那天，所有运动员都要向宙斯宣誓，他们将会公平比赛。

裁判也要宣誓，承诺他们将公平裁决，并为运动员保守秘密（除非运动员有欺诈行为，如果是这样的话，运动员将受到鞭笞）。

第二天 娱乐和比赛

第二天开始比赛。首先，要进行五项运动，这就是著名的五项全能比赛，来自于希腊单词"Pente"，意思是"五"。五项全能包括：铁饼、标枪、赛跑、摔跤和跳高——当然，全部比赛不是一下子完成的。

伙计，看准点儿，否则有你好看的！

11

战车赛（在古代奥运会上只有马车比赛，马术项目是后来才有的）也在同一天举行，这是一项残忍的运动。在每一次比赛中，都会见到被鞭打的马匹，听到它们惨烈的叫声，这些可怜的老马，它们实际面对的遭遇，可能比我们看到的还要惨。

但是即使这样，它们的处境也要比公牛在第三天的遭遇好得多。

第三天上午　公牛与祭坛

如果有一头公牛想去参加古代奥运会，那可绝不是一个好主意。为什么呢？

▶　在奥运会开始的第三天，这头公牛得和其他99头公牛一起被屠宰，来祭祀宙斯。

▶　公牛被宰杀后再把牛肉分割开，牛腿还要在宙斯的祭坛上燃烧（到公元2世纪，如果把在宙斯祭坛上燃烧的牛腿的灰烬加起来，其高度肯定超过6米）。

▶　剩下的牛肉会在比赛结束时举行的盛大宴会上，用来犒赏胜利者。

第三天下午 哦，我的脚！

在用公牛祭祀之后，就到了短距离赛跑的时间了。最短距离的赛跑被称作"斯泰德"，这是一种直线赛跑。这种比赛因长度而闻名，"斯泰德"比赛有一个奇怪的长度——192.27米。据说，这个长度也与赫拉克勒斯有关。猜猜看：

▶ 它是赫拉克勒斯脚长的60倍吗？

▶ 它是赫拉克勒斯一口气能走的距离吗？

▶ 它是赫拉克勒斯一口气能跑的距离吗？

答案

传说中三个答案都有，但是它们都正确吗？或许赫拉克勒斯喜欢蹦着走；或许他是一个傻瓜，必须一口气完成一件事情；或许因为他是一位超人，做什么事情速度都非常快，以至于即使他在走路，普通人也都以为他在跑。

除"斯泰德"之外还有两项赛跑运动：往返跑和长距离跑（24倍的斯泰德跑的长度）。如果这三项赛跑你都取得胜利了，那么，你将荣获"三项全能冠军"的头衔。有一个神话般的选手——来自帕列尼城邦的法纳斯，在比赛中赢得了三项冠军，获得了这个头衔。（对他来说，那时应该有四项赛跑比赛才过瘾呢！）

第四天　危险的角力

第四天的比赛，心脏不好的人可不能看，这一天举行的是摔跤和拳击比赛。由此引发了一项最卑鄙下流、最危险的运动——角力。

那么，古希腊语中角力到底是什么意思呢？它是指所有一切中最强壮的、能够掌管一切的意思。因此第四天的比赛是为最强壮的人举行的，这也是一场允许所有人乱打、乱抓的比赛。为什么这么说呢？因为所有参赛选手都是赤身裸体的，以至于什么部位都可能触及。

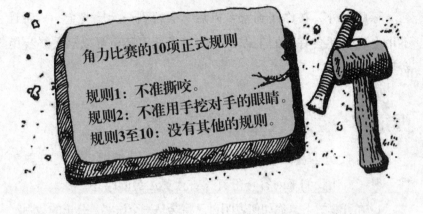

角力比赛的10项正式规则

规则1：不准撕咬。
规则2：不准用手挖对手的眼睛。
规则3至10：没有其他的规则。

也就是说，在第四天的比赛中，你能够做你想做的一切事情——除了用牙咬和用手挖对手的眼睛。麻烦的是：你的对手也能对你做同样的事情！不像今天的摔跤和拳击比赛，不同重量级别的选手是不能在同一场比赛中出现的。古代奥运会是不分重量级别的，所有的选手在一起角逐，直到有人受伤为止。这样的比赛没有循环赛，也不给对手以喘息的机会，直到有一方求饶、倒地甚至死亡为止。

第五天　颁奖

还留在赛场上的"幸存者"在第五天要开始庆祝了，这有一点儿像学校的颁奖典礼。参加各种比赛的选手都将在这一天领到奖品。

那么奖品是什么呢？奥运会颁发的奖品并不贵重——只是一个橄榄枝编成的花环。

但是如果你真的赢得了冠军，那么这项运动会以你的名字命名。除此以外，在你回到家乡以后，会得到一大笔奖金——而且不用上税，还会有好的工作，有的奥运冠军甚至可以享受终身免费用餐的待遇。

你能够充当古代奥运会的裁判吗？

在古代奥运会中，裁判必须绝对忠实，否则，就是自取灭亡。现在，让我们来回答一份有关古代奥运会的问卷：

1. 在开幕式上，你如何表明自己将会是一个诚实、公正的裁判？

a）宣读一份声明。

b）宣誓必须诚实，否则就会死在自己的剑下。

c）把手浸在鲜血中。

2. 你如何确认所有选手都在同一起跑线上呢？

a）在地上画一条线，让所有选手都站在同一起跑线上。

b）站在选手面前，起跑前迅速离开跑道。

c）拿着一杆标枪，站在他们面前，谁不在起跑线后，就扎他一下。

有时，我不得不迟钝一点儿！

3. 在角力比赛中（包括拳击和摔跤），如果有人用皮革和金属将自己的拳头包住，你会怎样做呢？

a）开除他。

b）警告他遵守规则，把包装去掉。

c）允许他继续比赛。

4. 在大型角力决赛中，由阿尔哈霍翁对战曼格，阿尔哈霍翁抓住曼格的脚将他扭伤，曼格决定勒死阿尔哈霍翁。

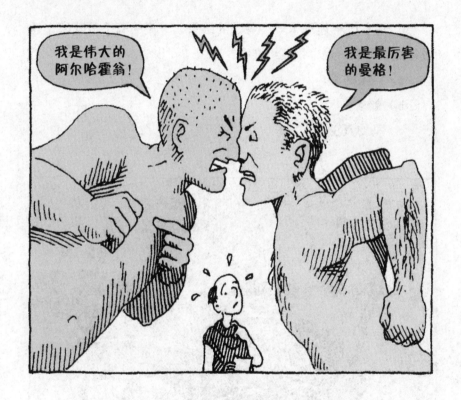

阿尔哈霍翁狠狠地扭着曼格的脚脖子，曼格举起一只手表示投降，但同时他用另一只胳膊迅速勒住阿尔哈霍翁的脖子。阿尔哈霍翁倒地而亡。那么，这种情况下，你会怎样做呢？

a）宣布曼格胜利。

b）宣布阿尔哈霍翁胜利。

c）宣布平局，并在报告中宣布阿尔哈霍翁不幸死亡。

5. 在赛跑比赛的终点，尼伯伦和威伯伦同时到达，无法分出胜负，那么谁将赢得胜利的桂冠呢？

　　a）给每人一半。

　　b）把它献给天神——宙斯。

　　c）让他们重新比赛。

6. 马车比赛迎来了一个棘手的结果，一流的骑手戴蒙率先通过终点，那么，冠军该奖给谁呢？

　　a）戴蒙的马。

　　b）戴蒙。

　　c）马的真正主人。

7. 一个赛跑选手在起跑时违规了，你将怎么处置他呢？

　　a）鞭打他。

　　b）让他退回五步，重新起跑。

　　c）如果他再犯的话，取消他的比赛资格。

8. 女性是不允许参加比赛的，如果你发现有一位女性正躲在柱子后面偷看，你将怎样处置她呢？

a）把她扔出去。

b）把她投进监狱。

c）把她抛下最近的悬崖。

答案

1. c）。这些血是从祭祀用的牲畜身上得到的，因此被看作是圣洁的。

2. a）。这就是起跑线的来历。

3. c）。让比赛继续进行，这是因为在角力比赛中，其他选手也可以有同样的装束，否则他就不会有太多获胜的机会。

4. b）。失败者是放弃的一方，曼格已举手投降，而阿尔哈霍翁却没有（当然，他再也没有这样的机会了）。

5. b）。把奖发给天神宙斯是一个相当不错的主意。他可能来不及穿上裤子就要去领奖了。

6. c）。可怜的老戴蒙只能得到一条绸带。

7. a）。所以你一定可以想得到，那时的运动员很少起跑犯规。

8. c）。而且，她所跳过的距离肯定不会被算作跳高的成绩。

19

禁止妇女参加比赛

古代奥运会比赛中，所有参赛的
人必须满足以下几个条件：

1. 必须是希腊人。

2. 不是奴隶。

3. 全身涂满橄榄油。

4. 要赤身裸体。

5. 一定是男人。

妇女只能通过一条途径参加比
赛，那就是，她拥有一辆四轮马车和
马匹，她作为主人参赛，但即使是
这样，也不允许妇女作为观众观看比
赛。法律规定，任何参与奥运会的妇女都会被扔下悬崖。

根据古希腊法律的规定，妇女即使想偷窥一下比赛也是很难
的。我们之所以要介绍这条法规，是因为确实曾经有一位叫作卡
丽法塔莉的女性在偷窥一场比赛时被发现……

斯波涅斯的秘密工作

报告人：恩·斯波涅斯

报告：在秘密察看奥运会有关项目的比赛时，我发现了一些违规的地方。

在马车赛开始的第一天，我看到一个形迹可疑的人，他穿着一件宽大的衣服。我问他是谁，他答道："我是儿子的教练。"考虑到还有其他事情要处理，我一直等到比赛结束。由于这个人的儿子获得了冠军，他犯了个错误——他冲过护栏，跑过去亲吻他的儿子。他这一跑，一切都露馅了。"他"是卡丽法塔莉——冠军的妈妈，一个女人。

处理：人们没有对她采取惩罚措施。法官认为应该原谅她，因为她的家庭成员都是伟大的运动员，并且获得过冠军。

建议：以后，不允许教练穿肥大的衣服，他们甚至不应该穿任何衣物。

批示：好主意。如果这样，我们以后就不需要任何秘密组织了。你被解雇了，斯波涅斯！

现代奥林匹克运动会

古代奥林匹克运动会在公元393年被罗马皇帝狄奥多西取消。因为他是基督教徒，而奥运会把宙斯奉为天神，狄奥多西认为这是对基督教的亵渎。

在这之前，古代奥运会在很长一段时间内已经开始走下坡路了——贿赂和欺骗到处存在，因为不管是运动员还是国王，他们都想获得冠军的殊荣。

到狄奥多西时代，奥运会比赛作为诚实和公平的象征已经大打折扣了。好在，人们渐渐忘记了所有的不愉快，而总是想着运动员拼搏、奋斗和光荣地赢得橄榄枝的情景。

渐渐地，另一种奥运会开始了，它有原来希腊奥运会的影子，可又不是完全照袭原来的一切。

乡村运动会

　　自1850年起，一个叫布鲁克斯的医生在什罗普郡温洛克发起了乡村运动会。他鼓励大家多做户外运动，他认为，运动比每天都泡在小酒馆里更让人健康。

　　温洛克村庄所举行的比赛，有很多是在古代奥运会上流行的运动。

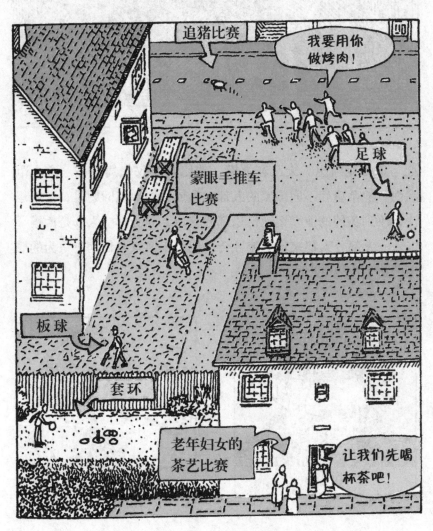

追猪比赛实在是太脏了，正如一家报纸所描述的那样：参加比赛的猪从田地里就开始排泄，一直到城市中央，排泄物甚至都渗到了酒窖里。

布鲁克斯想扩大比赛规模，使比赛不仅仅局限在一个小范围内。他希望让不同国家的人都来参加比赛，但问题是，这个想法得不到英国的业余运动俱乐部的支持，因为那些人都是傲慢一族——大部分人都来自上流社会，他们不愿意和他们所认为的底层劳动大众一块儿参加比赛。

下里巴人

上流人士

虽然布鲁克斯不能说服俱乐部，但他却成功地说服了一个非常重要的人——皮埃尔·德·顾拜旦，一个法国贵族。顾拜旦相信，运动能使人更加健康，能让不同国家的人在一起运动是一个不错的主意，因为这总比发动一场战争要好得多。他参观了温洛克的运动会，并且听取了布鲁克斯要复兴奥运会的建议，他决定要亲自为此作出努力。和布鲁克斯不同的是，顾拜旦认识很多上流社会的人。事实上，就是因为他认识这么多重要的人，才会在1894年，即他参观温洛克运动会后仅两年，就成功地建立了国际奥林匹克委员会（IOC）。

从那儿以后，事情进展得更加顺利。奥委会对各项运动进行安排、分类（这对一个委员会来说是非常不容易的）。两年以后，即在1896年复活节，第一届现代奥林匹克运动会在希腊的雅典开幕了！

随着时间的推移，奥运会的规模不断壮大，越来越多的国家加入，随之而来的是比赛项目的不断增加，其中包括像冰球、花样滑冰这样的冬季项目。

1924年，夏奥会和冬奥会被正式分开，第一届冬奥会在法国的夏蒙尼举行。

我要冻僵了！

我也是！

　　至此，顾拜旦的理想就实现了……他的梦想是使所有国家的运动员都能相聚在一起，公平、友好地进行比赛——没有欺诈，没有肮脏的交易，可是事实真的如此吗？你很快就会发现实情的。

　　接下来，要开始准备运动装备了：短裤、跑鞋、泳装、球拍、曲棍球杆、举重装备、备用马匹……你会需要所有的东西，哦，对了——你最好准备好所有的装备再进入我们下一个章节，这对于了解我们接下来要讲的运动是至关重要的！

"菜鸟"必备——完全奥运项目指南

对于运动会你究竟了解多少呢？你能说出一支曲棍球杆和一根拐杖的区别吗？你能辨别羽毛球的好坏吗？举重是把你的书包从学校扛到家吗？接下来会给你介绍一些奥运项目，不会太复杂，但也不会太简单。

火热的田径运动

田径运动包括三个项目：跑、跳、投。

在赛跑过程中，你要竭尽全力。如果是短跑，你要跑得很快才行；相对来说，如果是长跑，你可以跑得稍慢点儿。但是，在短跑中，如果你跑得很慢，也有可能赢得比赛——只要其他人比你还慢；同样的道理，在长跑中虽然你跑得很快，但是如果其他人比你更快的话，你也可能输掉这场比赛。

27

跳分为跳高、跳远和撑杆跳。在跳远比赛中，你会跳进一种叫作"斯卡玛"的沙坑，这个沙坑可是不允许随便进去玩的。跳高比赛有意思多了，跳高时你就像跃进了一个快乐的城堡（虽然并没有真正的城堡可供你玩）；当然，乐趣也会少一些，因为在前进的道路上总是横着一根杆子。撑杆跳比赛中，你就可以跳得更高，但是你必须借助一根杆子，而且还要奋力把撑竿插在插斗内起跳。

是U.F.O.吧！

破纪录了！

要想记住田径比赛中的投掷项目，你可以想想学校食堂的情形，这项比赛实际上就是要把你手上的东西扔得越远越好。你可以选择铁饼（想象一下没有盛饭的碟子）、标枪（就像一种只有一个尖头的叉子）、铅球（像学校的面团，当然，面团不会那么又重又硬）、链球（就像学校食堂里的卖饭师傅把饭菜抛给你一样）。

如果人们无法确定自己擅长哪一项运动的话，那么可以同时参加多项比赛。

啊！

不是很糟吧？

在全能项目比赛中，女子全能包括7个项目，男子全能就更多了，有10个项目，要历时两天呢。第一天举行100米、跳远、铅球、跳高和400米比赛，第二天则有110米栏、铁饼、撑杆跳、标枪和1500米。哦，天哪！

体　操

体操是一项很特别的运动，比赛就好像是在不同的器械上变戏法，比如：

鞍马——你不能骑在上边的"马"。

单双杠——那种粗细一定，正好适合握的杠子。

吊环——运动中你不能让吊环发出响声。

体操有地面上的运动，也有许多空翻动作，所以体操运动员的身体必须非常柔韧。

稀奇的格斗

包括以下4种格斗比赛项目。

击剑是一项两个人的比赛，包括花剑、佩剑和重剑。每种比赛用剑都包括剑身和剑柄两部分。剑尖有防护，以免在比赛中伤人。

拳击运动是一项不用刀剑的格斗，在拳击比赛中你要用拳头打击对手。拳击手以不同的重量分为各种级别，最轻也要48公斤，这被称作羽量级，虽然从没看见过48公斤的选手。最重的是重量级。拳击手经常被数学所迷惑，这就是为什么一轮比赛中只有三个回合，而且裁判数数从来不超过10！

摔跤的目的是把你的对手摔倒，母亲们可能非常擅长这项运动，尤其是当她们把小孩子摔在床上时，但奇怪的是不允许妇女参加这项运动。摔跤比赛有两种形式，一种叫自由式摔跤，允许使用胳膊和腿；另一种叫罗马式摔跤，只能使用胳膊。（为什么章鱼不能来参加比赛呢？）

可是，妈呀！

最后一项是柔道，这或许也可以视为一项投掷运动（看田径运动那一节），区别在于：

a）你扔的是人。

b）你不会把他们扔得很远，但会经常扔。

这是一个短投！

可怕的靶子

有两项标靶运动——箭术和射击。这两项比赛都要瞄准目标，以击中靶心为目的。在箭术比赛中你用弓和箭，在射击比赛中你用枪和子弹来射中靶心。

另一种射击形式是飞碟射击。在这项比赛中，你要射中尽可能多的飞碟。听起来似乎很有趣，但尝试起来却很难。

双打比赛

这是在球场上举行的比赛，这样的比赛要有裁判。比赛的规则是把球打过网，并打在对手界内。羽毛球比赛中使用的是羽毛制成的球，这就是它飞得好的原因。网球比赛用的球是橡胶制成的，并需要用网球拍来击打它。网球比赛的记分非常好玩儿，如果你没有得一分，裁判会把你称为"零蛋"（英文为"love"，还有"亲爱的"之意）。

一个更小、更轻的球被用在乒乓球比赛中。这种比赛需要在一张桌子上进行，所以发球非常重要。很奇怪的是，一个好的发球，是使对方接不到的球。如果你能做到这一点，你就是一个高手。

31

激烈的团队运动

在不同团队的比赛中，你很容易被搞糊涂。因此，要集中注意力：

1. 足球

在足球比赛中，你用头或脚将球射进对方网内，手球是不允许的。

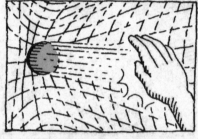

2. 手球

手球比赛中，脚球是不允许的，你要用手把球打进对方网内。

3. 排球

排球比赛中，你不能把球打进网内，而是用手把球击过网。

4. 篮球

篮球比赛中你不能把球打过网，也不能把球踢进网，而是要扔进篮筐中。

5. 曲棍球

曲棍球和以上的那些球都不一样，脚球不行，头球不行，手球也不行，要用一个前头弯曲的棍子打中目标。如果开局没有打好，那么就要继续直到打好为止。

精彩的击球比赛

在击球运动中，有两种非常相似的比赛。

棒球比赛是靠跑步得分的运动。队员击球后，要跑回本垒才能得分。攻方队员都跑回本垒才算赢。棒球术语很有意思，当你是攻方的时候，对方"投手"把球投给你，他的目标是球不能被你打中，如果你果然没有击中球，裁判会喊："击中！"

垒球用的球也是硬球，但没有棒球那么硬。垒球也被称为软棒球。

漂亮的水中运动

游泳是所有运动中最干净的一项运动，也是最摸不着底的。游泳比赛的实质就是尽可能快地从水中出来。游泳比赛有不同的距离，有不同的泳姿。最好玩的，也是最快的泳姿是自由泳。

跳水非常简单，仔细观察，它包含三个部分：

1）爬到一个高高的地方；

2）带着体操动作从高处跳下；

3）落到水里。

跳水者可以不会游泳，但会游泳的确是很有帮助的。一般可以跳三次。如果你在第一次就溺水的话，那么你就不会取得很好的成绩。跳水运动的最高分者是动作完成出色同时又溅起水花最小的选手。

水球仅是一项娱乐活动，因为你需要在水里放一个球，这项运动有两个目的：（1）把球扔到对方的领域；（2）不会溺水。就把水球比赛当作带有大量浪花的手球比赛吧。

奇妙的水上运动

还有三项水上比赛，你最不想做的事就是落入水中：

赛艇比赛是唯一一项你可以全程坐着，并且面朝反向，还有可能获得金牌的运动；

皮划艇是唯一一项没有桨的水上运动；

帆船是一项装备最豪华的运动，船很贵，而且肯定不可能在一月的大拍卖中买到。

骑术比赛

在奥运会项目中有两项骑术比赛。它们非常相近，第一项是自行车赛，骑的是自行车；第二项是赛马，当然骑的是马。

自行车赛和赛马有很多相同点：

——都有坐骑；

——都没有刹车；

——都在路上留下痕迹；

——骑士都要穿上彩色的衣服，戴上厚重的头盔。

忠告：要知道两种比赛最大的不同，只有等到比赛结束时才能看出来——马在停下时是不会摔倒的。

可怕的五项全能

最后，对于那些爱生事的男孩们（很抱歉，女孩们），有几项基本运动：

——赛马，骑到连马也要喊停；

——击剑，在决斗中找出路；

——射击，用枪和子弹找出路；

——游泳，在最后比赛之前，你至少要游过一条河；

——赛跑，4000米跑会完全耗尽你的体力。

这被称为"现代五项"，但如果称为"谋杀五项"可能更恰当。

好了，就这样吧！现在，对于赛跑、格斗、击剑、体操等项目都有了一个基本的了解，那么真正有趣的运动会马上就要开始了，让我们出发去看看奥运会吧！

燃烧的圣火——神圣的奥运会开幕式

接下来会发生什么呢？

当然，古代运动会也有开幕式。还记得吗？运动员和教练员都穿衣服吗？（当然，比赛开始之前，他们还是穿衣服的。）

现代奥运会同样也有开幕式。在1896年，虽然开幕式很短暂，但也有运动员的入场仪式。运动会宣布开始，伴随着巨大的欢呼声，第一项比赛就开始了。

现在已经不那么简单了。很多年过去了，越来越多的仪式被加入到开幕中来。那么快来吧！穿上你最正式的服装，我们一起去参加1996年亚特兰大奥运会开幕式的大游行吧！

入场式（1896年开始）

首先进入会场的是奥林匹克会旗，接着迎面而来的是不同国家的代表队。一般来说，排在第一位的是希腊，因为希腊是奥运会开始的地方。后面才是其他国家，按国家名字第一个字母的先后顺序依次入场。通常（例如1996年的美国），东道主最后一个入场（或许是想把观众的热情保留到最后吧）。

奥运会的奇人逸事

1988年，奥运会在韩国的汉城举行。希腊国旗像往常一样排在了首位，可是接下来的不是阿富汗，而是加蓬和加纳。这是有原因的，那么这是为什么呢？

答案

韩文字母是以G开头，而不是以A开头。

冗长的演讲（1896年）

队伍游行了大概一个小时，那么接下来该做些什么呢？冗长的演讲。非常抱歉，就是那些无聊的致辞。

啊哈，好消息，克林顿总统上台了，宣布运动会开始是他的专利，并且他的演讲肯定特别短。为什么呢？因为这就是专门为他写的。

奥林匹克宣誓（1920年）

很好，所有人都就座了吗？接下来该做些什么呢？还记得古代奥运会吧？所有的运动员都要宣誓诚实、认真地参加比赛。那么，现在也是如此，你要代表所有运动员宣誓。你的誓言是这样的：

> 我以全体运动员的名义，保证为了体育的光荣和我们运动队的荣誉，以真正的体育道德精神参加……

换句话说："我们宣誓，我们会公平地进行比赛。"但是你会发现，事实并非如此。

奥林匹克会旗（1920年）

你可没爬到旗杆上，对吗？那很好，因为爬旗杆是奥林匹克会旗的运动。它是一面白色的带有五色圆环的旗帜，这五种颜色分别是蓝、黑、红、黄、绿（因为在1920年的奥运会中，这五种颜色可以组成任何一个参赛国家的国旗颜色），它也代表五大洲因为体育运动而联系在一起。

奥林匹克格言（1924年）

格言包括三个词：更高、更快、更强。

有一个问题，这个格言当初是用拉丁文字表示的，大多数人都看不懂。你也不知道吧，你们老师知道吗？

是的，无论什么项目，每个运动员都在挑战自己的极限。

不对！不对！你应该跑得快，跳得高，而不是用蛮力蹿！

奥林匹克圣火（1928年）

奥运会上还有一个正在熊熊燃烧的火炬。人人都想有机会点燃它，在奥运会期间，圣火一直在燃烧。那么，现在火炬在哪儿呢？

我把火炬放哪儿了？

火炬接力（1936年）

没有人说过（呼哧，呼哧）……会有（呼哧，呼哧）……那么多阶梯！

41

　　火炬是从奥林匹亚运送来的，将以接力的形式，传递给最后一名火炬手。火炬接力的主意来自古希腊的运动项目。那时候，有一个火炬赛跑运动。它由6到10个队组成。除了指挥，选手必须举着一个燃烧的火炬。首先返回并且火炬一直燃烧的那一队才能取胜，他们也将获得点燃圣火的殊荣。

想象一下，组织下一年的火炬接力。我们必须要做以下事情：

火炬接力

切记：不要让火炬熄灭！更要记住：如果火炬熄灭了，你必须将它重新点亮，千万不要让人看见！

1936年第一次火炬接力全程共3000千米，每个选手持火炬跑1000米。现在也是这种做法，虽然有时一部分旅程需要乘船或飞机。

最奇妙的一次是1976年，在蒙特利尔奥运会上，来自希腊的火炬的能量被发射到一个激光的光束上，点燃了加拿大的同样一支火炬。

在接力的最后，最后一名火炬手进入会场，沿着跑道小跑（尽量不要咳嗽或打喷嚏）。最后他还要爬到一个高高的台阶上，点燃巨大的火炬，其中要填充足够的燃料，以确保圣火在整个奥运比赛期间一直燃烧。

1992年的巴塞罗那奥运会上，人们尝试了一个不同的方法，火炬手用火炬点燃了一个弓箭手的箭，这个弓箭手对准火炬高台射去，点燃了奥运圣火。

看起来，射手的准确性简直是不可思议的。但实际上，即便他射偏了也没关系，火炬的点燃事先都做了一些处理。因此，无论如何火炬都会燃烧起来的。

43

噢，就是你！

对于奥运会上突然响起的电话铃声，该如何处理呢？开幕式已经结束了，所有的选手都被集中在赛场的中央。每个人都在翘首期待下面的仪式。突然，电话铃声响起——这是美国运动员卡尔·刘易斯的电话！他一直把手机放在兜里。

啊，开幕式终于结束了！非常好，但是现在要开始货真价实的较量了。接下来，要举行三个星期的跑、跳、游、骑的比赛，并且还要循环比赛。

因此，如果你有机会的话，最好看一看每场比赛都在哪里举行，而且你的对手是谁。

赛季是受欢迎的假期还是冷战

东道主要花整整一年的时间来准备古代奥运会：挑选会场，为大群的运动员、裁判和观众做好准备等都是很浩大的工程（很遗憾的是他们没法得到赫拉克勒斯的帮助）。但是，现在看来，一年已经不算很长的时间了，现代奥运会东道主的确认需要提前6年。由亚特兰大主办1996年的"百年奥运"，在1990年9月就被确定了。

为什么需要这么长的时间呢？首先，举办一届奥运会通常要新建许多场馆，每一项运动都需要专门的体育场馆和活动场地。其次，在开幕式上有来自170多个国家和地区的代表参加，也需要解决他们的食宿和交通等问题。

数字游戏

你来试试回答一些与1996年奥运会有关的数字……

1. 亚特兰大奥运会上有多少运动员？

2. 亚特兰大奥运会上有多少官员？

3. 亚特兰大奥运会有多少观众来观看？

a）2000　　b）200 000　　c）2 000 000

4. 亚特兰大奥运会有多少人通过电视观看？

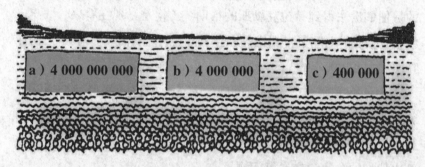

a）4 000 000 000　　b）4 000 000　　c）400 000

答案

1. c）。

2. b）。大概每2名运动员中就有1名官员。

3. c）。

4. a）。大概占全世界人口的2/3。

再加上成千上万的报纸、电台、影视记者和卖热狗的，这就意味着要有足够的饭店、旅馆来满足他们的吃、住的需要。

首先，应当为运动员准备"奥林匹克村"，虽然有时这村庄太过豪华了。

你所不知道的五件有关奥林匹克村的事

1. 古代奥运会没有奥林匹克村，运动员必须自己寻找住处。更糟的是大汗淋漓的选手，包括赛跑的、角力的、拳击的、五项全能和武装赛跑的选手都只能分享仅有的两个卫生间。因此，奥运会没有被称为"脏兮兮的奥运"也真奇怪了。

2. 1920年，奥运会在比利时的安特卫普举行，这个"奥林匹克村"实际上是在一所学校里。

3. 1932年，洛杉矶奥运会建设了专用住所，但仅仅是为男人准备的，为了不让女运动员进来（所有女运动员），住所严密把守，所有的127名女运动员都只能使用一个宾馆。

4. 1948年，在伦敦举行的奥运会是"二战"后的首次奥运会，因为没有足够的钱可以用来建设运动员专用住所，因此运动员只能被安置在军用帐篷里。这一次，男士们要逊色得多了，因为女运动员都被安排在条件较好一些的大学宿舍里。

5. 1952年，两个奥运村被建成了。你认为一个是为男士而另一个是为女士准备的吗？那你就错了。实际上，一个是为社会主义国家准备的（当时，许多国家不承认社会主义），另一个是为其他国家准备的。

1996年亚特兰大的奥运村就更加华丽了，它不仅有运动员专门的居所，还有很大的购物中心、迪厅、保龄球馆以及一个电影院。

奥运会逸事

1992年奥运会上，用来存储结果的电脑显示系统上，显示了这样一条消息：

参赛国家

自从1896年奥运会重新举行以来，已经有越来越多的国家和运动员加入进来。当时，只有311名运动员，其中230名都来自希腊——奥运会的主办国。实际上，在最初几届奥运会中，大多数运动员都来自主办国，为什么呢？因为需要漂洋过海来参加奥运会，那时最快的交通工具只有船了，并且，还会有一些其他的问题——来自美国的队员会发现……

埃迪夫人
美国

亲爱的妈妈:

　　好久不见了。我有很多事情要告诉您。一些是好事儿,另一些就不太好了。

　　先告诉您坏消息,我们乘船从美国出发,经过17天才到达希腊。这次航行可不像您想象的那样啊!

　　好消息: 不管怎样,我们终于到达了目的地。希腊人看到我们很高兴,还为我们举行了盛大的欢迎宴会,宴会一直持续到第二天凌晨,大家都喝醉了。

　　坏消息: 第二天早晨,我们发现竟然把日期弄错了!希腊的日历和我们是有差异的。运动会不像我们想象的那样一周后才开始,而是第二天就开始了。因为某种原因,我的头痛极了,妈妈……

　　又是好消息: 即使这样,我们仍然赢得了11枚金牌,或许我们应该每晚都喝酒。(开个玩笑,妈妈。我仍在坚持喝牛奶呢!)

儿子、奥运会运动员

汉克

1896年4月15日于希腊雅典

好多年过去了，旅程已经变得简单多了。随着奥运会影响的扩大，越来越多的国家和地区派队参加。1992年巴塞罗那奥运会上，有172个国家和地区参加。

或是战争或是赛事

顾拜旦认为应该用竞赛来代替战争，但并没有成功地得到大众的认可。

在古代奥运刚兴起时，比赛进行的过程中仍会有战争发生。每一个国王都会签署一个和平协议：

在现代社会，已经不用这样签署协议了。如果发动战争，奥运会将被取消，迄今为止这种情形已发生过三次了。

▶ 1916年，第6届奥运会因为"一战"被取消。

▶ 1940年和1944年，第12届和第13届奥运会亦因为"二战"而被迫终止。

你知道吗?

奥林匹克运动会即使当年没举行，它的届数还是要计算下去的。因此，1996年亚特兰大奥运会被称为第26届奥运会，虽然事实上只举办了23次。

不带你玩儿

虽然奥运会已经举办了很多次了，但不是所有国家都有机会参加比赛，自从1896年以来，只有澳大利亚、法国、希腊、英国和瑞士参加了每一届奥运会。所有运动员都会在参赛前宣誓：比赛第一。但是一些政治家却不会这样宣誓，看看他们制造了怎样的混乱：

▶ 1920年，德国、奥地利、匈牙利和土耳其这些国家没有被邀请参加比赛，因为他们都是"一战"的战败国。

▶ 1924年，德国仍然没有被原谅，直到1928年才被允许重新参加比赛。

▶ 1948年，德国、日本（"二战"的战败国）没有被允许参加比赛，苏联和其他社会主义国家被邀请了，但是他们决定退出比赛。

▶ 因为实行种族隔离政策（因为肤色不同而实行的区别对待），1964年至1992年，南非没有被邀请参加比赛。

▶ 1980年，奥运会在苏联举行，由于苏联刚刚入侵阿富汗，美国、日本和当时的联邦德国拒绝参加，以向苏联表示抗议。

▶ 1984年，奥运会在美国举行，苏联没有参加，以报复美国1980年的举动。

钱，钱，钱

很多年以来（直到1992年），对奥运会的另一个限制就是职业运动员不能参加，也就是说，运动员不能通过比赛来赚钱。顾拜旦一直坚持这个观点，他认为，职业选手参赛的唯一目的就是获取奖金，因此他们就不会因为奥运会上很少的奖金而单纯地去参加比赛。（那么，如果已经参加比赛的人很在意那很少的奖金，他是不是又变成职业选手了呢？）

很长一段时间，顾拜旦的追随者一直都是这样认为的，虽然没有人会相信运动员参赛的目的是为了那点儿奖金，但有一件事却让他们大吃一惊……

世界上最杰出的运动员

在1912年的运动会上，美国运动员索普赢得五项全能和十项全能（共十五项比赛）的两枚金牌，在给他颁发奖牌时，瑞典国王古斯塔夫五世称索普是"世界上最杰出的运动员"。但是一年以后，索普被人诬陷，说他在假期中因为训练过一些美国运动员并且收过报酬，因此他是一名职业运动员；在奥运会上被索普打败的对手也不承认他所获得的金牌。因此，索普必须交回他所有的奖牌，并在奥运史上除名。

1912年的杰出运动员

1913年的职业运动员

直到70年以后——1982年，也就是索普死后将近30年，这个不公平的结论才被推翻，奖牌又被送到他的家中。

哦，我们出发……运动员和运动队

1912年以前，没有官方组织派代表参加奥运会，参赛者都是代表个人或几个好朋友在一起和其他人对抗，像约翰·博兰能够参赛，是因为他当时正好在休假。

约翰·博兰赢得了网球单打冠军，又和一个德国人合作赢得双打冠军，他真是一个出色的选手。

还有一位选手是澳大利亚人埃·弗拉克，他听说有关奥运会的消息时，正在伦敦工作，他立即花了一个月的时间，长途跋涉到希腊去参赛。当他回来时，还真的带回了一些不寻常的东西——800米和1500米冠军奖牌。

有一些国家确实派队参赛了，但那不是官方组织的，举例来说，美国的团队是一些大学生自发组织的。

至于英国队——噢，大多数的优秀运动员都没有参加，为什么呢？因为那些优秀运动员都是牛津大学和剑桥大学的学生，他们因为邀请信是用法语写的而拒绝参加比赛。

预赛和磨难

现在，很多国家都已派队参加比赛，但是他们都在派谁去参加比赛的问题上犯难。一位美国选手波伊德·吉顿斯赢得参赛的机会就非常不容易。

他在1972年参加110米栏预赛时，发生了这样一件事情：

1. 他站在了起跑线后。

2. 他摆好了姿势。

3. 枪声一响，他沿着跑道飞奔。

4. 问题是，一只鸽子也在沿着跑道飞呢，而且和吉顿斯不一样，它在比赛前没有上厕所，因此……

5. 鸽子开始排泄，粪便落了下来。

6. 落哪儿了？噢，它恰好落进吉顿斯的眼睛里。

7. 撞到他的隐形眼镜了，你猜怎么着？吉顿斯不得不退出比赛。

当然，故事有一个愉快的结尾，他们重新举行了预赛，这一次，吉顿斯合格了，并且去墨西哥参加奥运会了。在那儿又发生了什么事了呢？

a）他没有站在起跑线后。

b）他没有做好起跑姿势。

答案

真正的答案是：他的腿受伤了，而且不能跑步了。

真够慢的

不是所有的国家都用这种方式选拔队员，1976年的奥运会上，来自海地的奥莱姆斯·查尔斯，跑出了10 000米的最差成绩——42分钟（这个比赛通常所需时间是28分钟）。当他跑完时，其他人正在准备下一场比赛，直到那时，人们才知道奥莱姆斯不是一个真正的赛跑选手。他从来没有参加过任何大型的比赛，海地也从来没有举行过任何预赛，这个国家的统治者把用作奥林匹克运动会的奖金全部用光了。因为奥莱姆斯是一名很好的政府工作者，所以他才有机会来参加这次比赛。

运动员名字趣谈

或许当国家队在选拔参赛队员时，应该多注意一下候选者的名字，在奥林匹克运动会上，有很多金牌得主的名字和所获得的成绩是很有渊源的。

▶ 罗伯特·韦弗（Robert Weaver，美国）1984年获摔跤冠军（Weaver是"编织"之意）。

▶ 若·克鲁斯（Joaquim Cruz，巴西）1984年获800米跑金牌（cruz是"航行"之意）。

▶ 阿姆斯特朗（Arm Strong，澳大利亚）1988年200米自由泳冠军，当时他肯定觉得他的双臂很有力！（arm为"手臂"之意，"strong"为"强壮"之意。）

▶ 詹姆斯·莱特博迪（James LightBody，美国）1904年获800米、1500米和2500米障碍赛冠军。他真是身轻如燕啊！（light为"轻"，body为"身体"之意。）

▶ 弗兰克·肖特（Frank Shorter，美国）获得了1972年马拉松冠军。（short是"短的"之意。）

▶ 瓦·巴特（Wolter Bathe，德国）显然是在家里的游泳池里。1912年获得了400米蛙泳冠军（bathe是英文"洗"之意）。

▶ 艾德华·费里（Edward Ferry，美国）在1964年赛艇比赛中，以优美的摆渡获得了奖牌（ferry是英文"摆渡"之意）。

但并不总是这样名副其实，例如：

雷·埃·沃克（Reg Walker，南非）获得了1908年100米跑金牌（walk为英文"漫步"之意）。

▶ 瑞典长跑队员恩斯·法斯特（EnsFast）真是叫错名字了，他在1900年马拉松跑中失利（fast为"快"之意）。

59

你认为一个叫"永不停止"（Papadiamantop Papadiamanto-pous）的人会做出什么事？

答案

对于一个叫"永不停止"名字的人，唯一可能发生的是什么事？出发！当然，他是1896年奥运会的鸣枪手——鸣枪以示出发的人！

当然，好名好运的戏法并不总是屡试不爽的哦！

女子参赛

在前面，我们说过，妇女是不允许参加比赛的，当顾拜旦开始举办现代奥运会时，他也认为不应该有妇女参加比赛。

所以，1896年，他就这样做了——没有一名妇女被允许参加比赛。1900年，事情开始有所好转（事情是不会越变越糟的）。12名妇女被允许参加了比赛，但她们只能参加两项比赛：网球和高尔夫。

许多年过去了，越来越多的妇女参加到奥林匹克竞赛中来，

1992年，有超过2000名妇女参加了奥运会的比赛——或许会更多些，但无论如何也没有8000多名男运动员那么多。

女子项目也在不断地增加，现在，大多数运动都有女子项目。下列运动项目中，你知道哪项没有被列入1996年女子比赛项目吗？

1. 射箭
2. 赛艇
3. 自行车
4. 马术
5. 足球

6. 曲棍球
7. 柔道
8. 射击
9. 排球
10. 摔跤

答案

只有一项——摔跤。另外，妇女不能参加的项目还有拳击、现代五项和举重。1996年，女子足球是新增项目。在马术、射击和帆船比赛中，女运动员可以和男运动员一起比赛。

真粗鲁无礼

要完全接受妇女参赛，确实需要很长的时间，而且也发生过许多让人不愉快的事情。女运动员们必须证明她们的实力，下面有一些例子：

▶ 1928年，妇女第一次参加100米、800米、4×100米接力、铁

饼和跳高比赛。在800米比赛之后，顾拜旦埋怨劳累过度的女运动员没能给观众留下积极的印象。从此以后，直到1964年，才允许妇女参加200米以上的赛跑运动。现在已经有女子马拉松比赛了。

▶ 只有一位女性赢得了跑、跳、投三个项目的奖牌。1932年美国运动员迪科斯赢得80米栏、标枪项目的金牌和跳高项目的银牌。

▶ 当31岁的荷兰女运动员布兰克尔斯·科恩出现在1948年的伦敦奥运会上时，英国队员杰克嘲笑她："你太老了，怎么能赢得比赛呢？"结果，她赢得了100米、200米、80米栏和4×100米接力四枚金牌——杰克真是羞死了。

在这些优秀的女运动员中，或许最令人不可思议的是下面两位——弗雷泽和鲁道夫。

两个奇女子

弗雷泽出生在1937年9月4日，她是家中8个孩子中最小的一个。她家有4个男孩，4个女孩。生活在离悉尼船坞厂码头不远的一个贫民区，所以弗雷泽天生就与水有缘。

哥哥姐姐都很宠爱她。在他们的呵护下，弗雷泽慢慢成长。

但好景不长，弗雷泽开始咳嗽。每当天气稍稍变冷，她就会咳嗽，问题是她不仅仅流鼻涕，而且越来越严重，而且有些气喘。

这把她的家人吓坏了。

"我不能呼吸了，好像有一只袋鼠压在我的身上！"（这听起来好像很好笑，但实际上，产于澳洲的袋鼠有一辆小汽车那么重。）病得严重的时候，她不得不整夜坐在床上，因为一躺下会咳得更厉害。

直到1943年的一天，也就是弗雷泽6岁的时候，哥哥带她到了游泳池。她在水里嬉戏，温暖、潮湿的空气，使她觉得自己的肺部舒服多了，也不像以前那么咳嗽了。或许，如果学会游泳，对她的病会有好处。

几千千米以外，在美国田纳西州的南部，另一个小女孩也遇到了和她同样的麻烦，她的名字叫威尔玛·鲁道夫，比弗雷泽小3岁，也来自一个大的家庭。弗雷泽也许认为他们8个孩子的家庭就最大了，但如果有机会，鲁道夫会告诉她，到底什么是大，因为鲁道夫是家里12个孩子当中最小的一个。

鲁道夫的家庭深受着种族歧视的痛苦，因为他们是黑人，家里非常穷，并且经常挨饿。像弗雷泽一样，鲁道夫也没有躲过病痛的折磨，几年以后，她还得了猩红热和双叶肺炎。在她6岁的时候，发生了最糟糕的事情，她得了小儿麻痹症，这使她的右腿又瘫痪了。

"我们还有机会，"鲁道夫的兄弟姐妹对她说，"我们轮流帮你按摩，你的腿一定会尽快好起来的。"她的哥哥姐姐们每天为她按摩4次，鲁道夫自己也按摩，她想像其他人一样走路。

但她自己必须有耐心，她还要在脚上安一个矫正器。如果没有别人帮忙，她自己就走不了多少路。

她坚持走路和锻炼，花了4年的时间，鲁道夫又重新站了起来。她给矫正器套上特殊的鞋子，但她仍然不满意。她想，要是能跑该多好啊！

她的兄弟们都喜欢打篮球，家里有那么多人，可以组织自己的球队了，鲁道夫也参加了进来，穿着她特殊的鞋子蹦蹦跳跳。就这样，她不停地玩儿，不停地锻炼，直到有一天，她觉得鞋子太重，就脱掉鞋子。就在那一天，她实现了自己的梦想，12岁的鲁道夫终于又能跑能跳了。

在第一次去公共泳池之后，弗雷泽就经常去游泳了（经常混在一群男孩子中，获得免费游泳的机会），她的哥哥会教她，有时还背着她从高台跳水。

她加入了一个游泳俱乐部，赢得了她的第一场比赛——是和一些成年女子一起比赛。她12岁的时候，就经常能赢得各种比赛了，她一直盼望着有一天，她也能拿到俱乐部给她的奖金。那时，俱乐部只给16岁以上的人发奖。

但是，在赢得一场冠军赛后，弗雷泽被指责是一名职业队员，为什么呢？就因为俱乐部给了她奖金。但他们忽略了这样一个事实，她不到16岁，过去从没拿过任何奖金，并且也不属于任何一家俱乐部。虽然她被禁赛18个月，但她坚持锻炼，每天骑20千米路程去上游泳课。

弗雷泽想要得到一枚奥运会金牌。那时，鲁道夫也在努力，她一旦能跑了，就停不下来了。她的腿，虽然伤了那么久，现在却成了她最大的快乐和骄傲。她的腿越来越结实，她的速度也越来越快了，100米、200米跑都成了她的强项。到她15岁的时候，那些伤痛好像也离她越来越远了。她后来成了大家心目中的英雄。当有人问到她的奇迹时，她总是开玩笑说："我必须跑得快些，因为我们家孩子多，如果我跑慢了，桌子上就什么吃的都没有了。"

仅仅一年以后，鲁道夫就坐着飞机去参赛了。这个在几年前还不能正常行走的人，1956年就去参加墨尔本奥运会了。

这两个曾经有病的孩子都到达了她们生命中的顶峰。那一年，弗雷泽赢得了世锦赛100米自由泳的金牌。四年以后，也就是1960年，她再一次赢得了100米自由泳的冠军。她是世界上唯一获得该项目两大比赛冠军的选手。

1956年，16岁的鲁道夫，为美国赢得了4×100米接力赛的铜牌。她的时代到来了，1960年，鲁道夫成为奥运会上的传奇人物，她赢得了100米、200米短跑的冠军，并带着她的伤腿为美国赢得了4×100米接力赛冠军。

倾尽全力的赛前训练

想成为一名奥运会冠军，有时需要献身精神，所有的赛跑、游泳、自行车、拳击或者体操选手，都必须为了训练而放弃其他一些东西。

因此一定要学会享受这种训练，否则你会发现那实在是一件苦差事，而且要想成为奥运冠军，训练将会更加艰苦。

在古代奥运会上，运动员都要做些什么呢？

1. 运动员要把亚麻油涂在身上。

正确 / 错误

2. 每个人都在运动会前10个月开始训练。

正确 / 错误

3. 如果你在比赛前一天身体不适，就不能参加比赛。

正确 / 错误

4. 拳击运动员通过击打地面来增强体力。

正确 / 错误

5. 铁饼和标枪运动员要听着流行音乐来训练。

正确 / 错误

6. 赛跑选手通过敲打背心来热身。

正确 / 错误

7. 在运动会开始前，运动员要严格控制牛奶和面包的摄入量。

正确 / 错误

67

1. 错。亚麻油是用来擦拭球拍的……运动员一般都用橄榄油来防脏和防晒。

2. 对。他们都要发誓自己会全力比赛。

3. 错。比赛一个月前身体状况就要非常好。

4. 对。当然，比赛时，我们看到他们是在相互攻击！

5. 对。通过音乐激发运动员体内的激素，促使他们投得更远。

6. 错。他们无法去打背心，因为他们都是裸体参加比赛。

7. 错。他们要严格控制的是奶酪和水的数量。

奥运食谱

我们常说，吃出来的健康（虽然很多人都喜欢吃垃圾食品）。对于运动员来说，吃哪些东西更合适，对他们来说就更为重要了。

下面，我们来列举几种奥运冠军必须吃的食物，不是说这些东西完全健康，但它们对人体确实有好处。下次，到超市看看别人的小货车，你也许会发现某人正是训练中的奥运会运动员呢！

▶ **干无花果** 查梅斯是斯巴达的赛跑明星，公元前668年，他获得了往返跑冠军，之前，他的饮食一直都离不开干无花果。

▶ **法国红酒** 1932年洛杉矶奥运会，法国赛跑选手称红酒是他们生活中不可或缺的一部分。虽然当时在美国，酒精饮料是被禁卖的，而在法国却不是。

▶ **口香糖** 托兰是1932年洛杉矶奥运会的200米赛跑冠军，他喜欢在比赛时，嘴里嚼着口香糖。

▶ **啤酒** 南非的拉德最喜欢在别人训练时拿着一杯酒偷懒。

▶ **胡萝卜、生洋葱、生菠菜、生卷心菜和其他生的东西** 赫波·埃奥特是1960年1500米冠军，澳大利亚人，喜欢天然的食品，经常吃生东西。

▶ **5片黄油、10片水果、4杯茶、2杯咖啡、2个蛋糕、大量的鱼、肉、牛奶和奶酪** 并且尽量多加香菜，这就是1968年5000米冠军，突尼斯运动员穆·加穆迪的食谱。

▶ 雪梨酒和生鸡蛋

美国有几位运动员喜欢把雪梨酒和生鸡蛋混在一起吃。

最后一样东西是——

▶ 一头牛

克诺顿的米隆是古代奥运会中最强壮的运动员，他连续6次赢得奥运会摔跤冠军。传说他一只手就能举起一头4岁的公牛，把它杀掉后，扛到体育场。据说他这么强壮的原因就是他从不吃蔬菜，并且一天能吃掉一头牛。

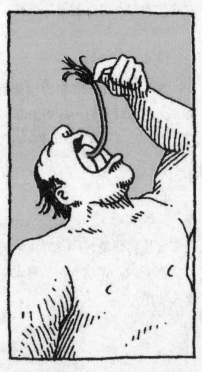

70

在训练中加入一点激情

除了努力训练外，没有任何捷径。如果你想成为一名奥运冠军，你就必须咬紧牙关忍受训练。虽然很枯燥，但是可以让训练变得好玩儿一点儿。让我们看看，一些奥运冠军是怎么做的呢？

1. 埃米尔·札托皮克 捷克斯洛伐克运动员，1948年的10 000米冠军。1952年，他还同时获得5000米、10 000米和马拉松比赛桂冠。在训练中，他是怎样做的呢？

　　a）背一袋土豆在身上。

　　b）背一袋混凝土在身上。

　　c）背着他的太太跑步。

2. 帕·努尔米 芬兰选手，1920年赢得10 000米和10 000米越野赛两项冠军，同时赢得1500米、5000米桂冠，他一共赢得了9枚奥运会奖牌。那么，他是如何训练的呢？

　　a）和邮车赛跑。

　　b）和小汽车赛跑。

　　c）和他的狗赛跑。

3. 亚伯拉罕　英国运动员，赢得了1924年奥运会100米的金牌。那么，他的教练会做些什么呢?

a）撕碎一些纸。

b）把纸片捡起来。

c）跳芭蕾舞。

答案

1. c）。札托皮克的妻子也是一个了不起的人，在1952年的奥运会上，她获得了标枪比赛的冠军。札托皮克每天6点起床（把他妻子一个人留在家里），穿着他的军靴跑10到25千米。这样，当他穿上钉鞋时，他就觉得腿部更有力量了。

2. a）。努尔米在工作之后，总要进行一些短跑训练。在吃饭之前，他会跑到森林里去，做一些跳呀，抢抢胳膊之类的锻炼。

3. b）。但他不得不穿着钉鞋做这件事。他的教练为了能让他的腿完全伸展开，就把纸撒在他认为亚伯拉罕的脚应该着地的地方。

不止热一倍，妈妈!

有时候，运动员必须得做一些额外的训练，即所谓的适应性训练。比如运动会在寒冷的冬天举行，而你来自热带国家，那么，你就必须在低温下进行锻炼，以适应环境。另外，如果奥运会在海拔很高的国家举行（那里空气稀薄，人们会呼吸困难），那么，你就需要做一些高原训练。

假设你是1960年奥运会50千米竞走运动员唐·汤普森，将要在潮湿闷热的罗马进行比赛，而你来自寒冷的英国，那该怎么办呢?

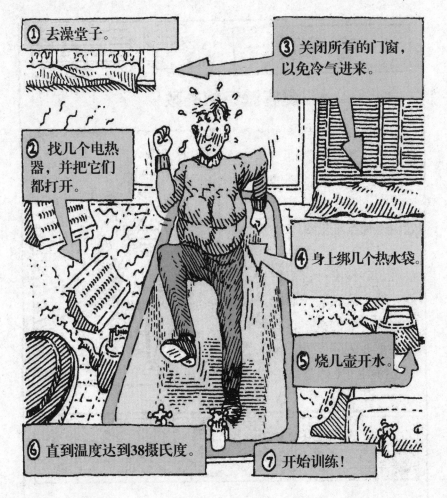

① 去澡堂子。

③ 关闭所有的门窗，以免冷气进来。

② 找几个电热器，并把它们都打开。

④ 身上绑几个热水袋。

⑤ 烧几壶开水。

⑥ 直到温度达到38摄氏度。

⑦ 开始训练！

汤普森就是这样做的，他最终获得了金牌。

适当的装束

穿上合适的衣服对比赛也是非常重要的。

在古代奥运会上更是这样，那时有一项比赛叫作"武装赛跑"，在这项运动中，每个选手从头到脚都必须穿得像一个士兵。噢，确实是从头到脚，直到有一天，发生了这样一件事情。

73

奇 闻

奥赛派司的失败！

昨天的武装赛跑比赛在一种很尴尬的局面下结束了。夺标热门选手奥赛派司不仅失去了比赛，而且他的处境还有点儿悲惨。

比赛开始的时候，奥赛派司并没有什么不好的迹象。他全副武装，看起来威风凛凛，他的头盔、胸牌和护膝都在闪闪发光，他的盾牌也特别明亮。

裁判宣布比赛就要开始，让大家各就各位。奥赛派司的脸上呈现出自信的笑容。

比赛开始了，奥赛派司迅速占据了领先的位置，一切看起来是那么正常……

突然，奥赛派司的皮带掉了，他的短裤开始下滑。

奥赛派司很不安地向四周看看，可是已经来不及了。他的短裤已经滑到了脚踝，所有人都看到了这一切。他唯一能做的是在其他对手经过时，把脸深深地埋起来。

"所有人都在嘲笑我，多丢人啊！"赛后，奥赛派司很懊

恼地说。可见，这件事情把奥赛派司置于了一个多么尴尬的境地。

不过，以后再也不会有这样的事情发生了，因为，从那次比赛之后，武装赛跑规定队员只许戴着头盔，拿着盾牌，所有人都不许穿短裤了。

一位官员告诉我：下次，当比赛开始，观众们只是欢呼："他们出发了！"仅此而已，人们不会再发出嘲笑声了。

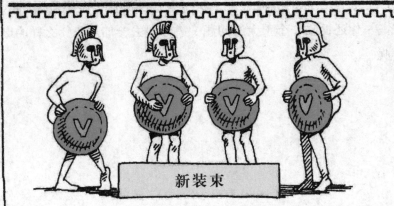

新装束

这是在一次武装赛跑运动会上，发生在某一运动员身上的真实故事。从此之后，他们在比赛中都脱掉了短裤及其他一些衣物，赛跑者通常只戴着头盔，套着护罩。显然，他们都不能忍受这样的事情再次发生了。

你知道吗？

在运动员中，谁总是坚持要穿特定的衣服呢？

▶ 柏如提　一位意大利选手，总是戴着太阳镜赛跑，他觉得这样可以把对手甩到阴影里！

▶ 伊利特　澳大利亚选手，穿着袋鼠皮做的跑鞋，这保证他总能领先一箭之地！

▶ 贝德（来自南非）和阿贝贝（来自埃塞俄比亚）　他俩从来不穿鞋，他们是不是想向别人展示他们干净漂亮的脚跟呢？

与他们有点不同的是，1896年，一位赛跑选手穿了他从来没穿过的装束。他意识到希腊国王将要观看比赛，就很不礼貌地戴上一副手套，来抗议皇权，虽然他没有得奖，但是要评"风格奖"的话，肯定会颁发给他！

嗯，既然你训练很久了，吃了有益的食物，穿着合适的衣服——你还面临一个很大的问题——你要去参加一个什么样的比赛呢？

疯狂的赛场

　　奥运会有点儿像学校的日程表，新的科目总要取代旧的科目。在奥运赛场上，一项比赛的去留是由国际奥林匹克委员会决定的（以下简称国际奥委会），他们力争比赛时对每位选手都公平，可不能像在尼禄皇帝控制下的古代奥运会。

78

这则丑闻发生在公元67年——这太让人惊奇了！

尼禄赢得了所有想赢的比赛，他甚至赢得了一场赛马车比赛，虽然在这场比赛中，他从马背上摔了出去，没能完成比赛，不过他的名字没有被记录在冠军记录册上。

一年以后，当这个疯狂的国王被劝自杀后，这个比赛项目就被取消了，而且那个裁判也被要求退回了他所收受的贿赂。

奖牌，奖牌，奖牌

我们可以看出，与本书第二章介绍的古奥运会相比，1996年奥运会的比赛项目已经发生了很大变化。你能猜出哪些项目在100年以前就开始了？

运动项目	金牌数
射箭	4枚
田径	4枚 田赛和径赛分得
羽毛球	5枚
棒球	1枚 团体金牌
篮球	2枚
拳击	11枚 每个重量级各1枚
皮划艇	16枚
自行车赛	14枚 越野赛2枚，公路赛4枚，场地赛8枚
赛马	6枚 个人赛和团体赛分得
击剑	10枚

项目金牌数	金牌数
足球	2枚团体金牌 1枚男子 1枚女子
手球	2枚团体金牌 1枚男子 1枚女子
曲棍球	2枚团体金牌
柔道	14枚
现代五项	1枚 男子金牌
赛艇	14枚
射击	15枚
垒球	1枚 女子金牌
乒乓球	4枚 单打
网球	4枚 单打
排球	2枚 沙滩排球，2枚 室内排球
举重	10枚 男子金牌
摔跤	20枚 男子金牌
帆船	10枚

答案

　　你应该选择现代五项、自行车赛、击剑、体操、网球、射击、举重和摔跤这几个项目。其他运动是1896年以后开始兴起的。

被淘汰的项目

　　有很多曾经在奥运会历史上很流行的项目，后来渐渐淡出了比赛：

障碍赛

　　这是一种200米距离的比赛，在比赛的整个过程中，你要越过以下障碍：

　　——爬上一个杆子；

　　——从一排翻着的船上爬过；

　　——从一排翻着的船下爬过。

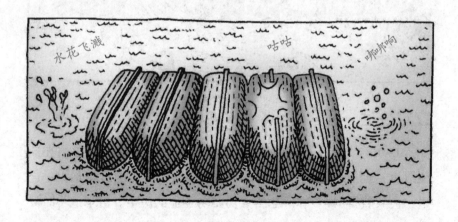

不简单，是吧？还有一件事，比赛的场地——塞纳河。

是的，这是一场游泳比赛，它仅在1900年的巴黎奥运会上出现过，接着就取消了。

橄榄球

1924年巴黎奥运会之后，橄榄球比赛就被取消了。这的确有点遗憾，因为橄榄球比赛非常有意思，特别是美国队对东道主法国队的那场比赛，在两名法国队员受伤后，美国队员纳尔逊被观众的一支拐杖打晕了。所有人都打到一起去了，比赛最后，美国队不得不由警察护送回去。这有可能是橄榄球赛被取消的原因吗？

立定跳远

1908年之前，一直有立定跳远比赛。立定跳远是指站在原地跳远，而没有助跑。这项运动的明星人物是美国运动员雷·尤里，他共获得8枚金牌。他的成功归功于他的医生。由于他小时候得过小儿麻痹症，医生让他多跑多跳，以增强肌肉力量。

试试怎样立定跳远

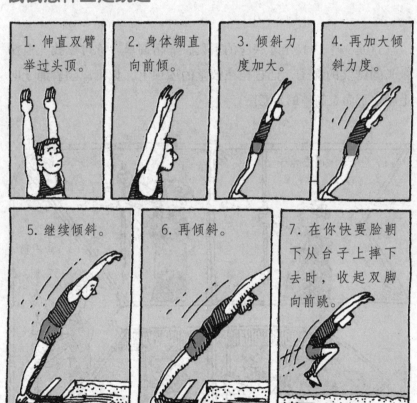

你摔着脸了吗？回到第一个步骤，如果你能跳到3.33米，那就和尤里的成绩一样了。

拔河比赛

这个项目1920年被取消，虽然，它也曾经辉煌过。

1908年，利物浦的警察代表英国参赛，仅几秒钟的工夫，就打败了美国队。美国人表示抗议。他们说英国的警察有特殊的装备，他们的鞋有钉子，有特殊的钢夹板和鞋跟。英国的警察反对他们的抗议，他们说他们的鞋子一点儿也不特殊，因为他们每天巡逻都穿这样的靴子。

爬 绳

这是一个1932年才兴起的项目，非常简单。你可以找一根10米长的结实的绳子，把它挂在教堂的屋顶上，你可以顺着绳子向上爬。下面是简单的示意图。

美国运动员雷蒙德·巴斯是最后一个爬绳运动的胜利者，他在六七秒内爬了10米。

特殊的奖牌

1896年，英国获得了一枚不存在的运动项目金牌，这项运动以后也不会有。获奖者乔治·罗伯森先生读了一首诗赞扬希腊国王，国王非常高兴，奖给他一枚荣誉勋章。

马拉松

马拉松可能是整个奥运会中最著名的项目了。它是一项纪念希腊信使菲力比第斯而举办的运动，这项运动大概起源于公元前490年，那时人们没有信箱，没有邮车，如果想邮信，就必须：

1. 写好信。
2. 装进信封。
3. 写上地址。
4. 把信封给一个像菲力比第斯这样的人。
5. 对他说："去吧，菲力比第斯，你真是好样的！"

　　传说是这样的：希腊人在马拉松平原的一场战斗中打败了波斯人。菲力比第斯的头领米尔泰第斯想把胜利的消息尽可能快地告诉雅典人，但问题是雅典离这儿有点儿远，大概有280千米。菲力比第斯竭尽全力，但当他到达目的地时，他已经感觉不到快乐了。他拼尽全力喊道："好消息，我们胜利了！"然后就死去了。（如果今天他还做同样的事情，那他喊的一定是："多么令人激动的奥运会啊！"）

　　现在，马拉松已经不用跑280千米那么远了，它的奇怪长度是42.195千米。

　　但刚开始也不是这个距离，1896年的马拉松是40.233千米。1908年，奥运会在伦敦举行，许多人认为，比赛的起点应该从温莎城堡开始，唯一遗憾的是城堡距体育场的距离为26英里，而不是25英里。故事就是这样，玛丽公主问这些可怜的运动员是否能再跑385码，这样他们刚好能跑到皇室的岗亭下。每个人都同意了。42.195千米的马拉松就这样诞生了。

自制马拉松游戏

实际上，跑马拉松是很困难的一件事，那么为什么不把它简单化，制作一个自己的马拉松木板游戏呢？通过那种方式，你能设置所有恐怖的事项，当然，并不会吓倒你自己。你需要一个骰子和一个42.195千米长的木板。

做法是依次掷骰子，根据骰子上显示的数字跑到木板上相应的距离处。

首先你要把木板分成46 145个方块。接着，为了使游戏更有趣，还要建立一些惩罚的方块，就像奥运会的马拉松比赛一样。

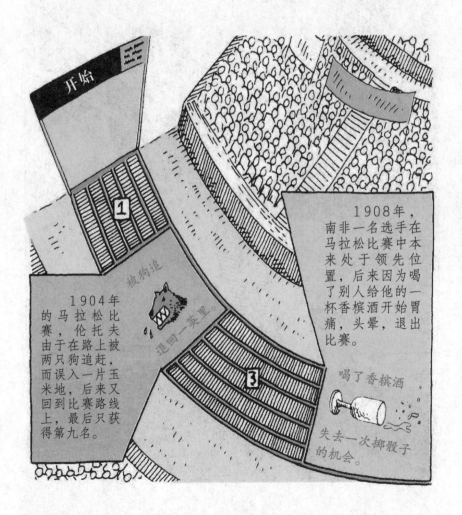

开始

1

被狗道

退回一英里。

1904年的马拉松比赛，伦托夫由于在路上被两只狗追赶，而误入一片玉米地，后来又回到比赛路线上，最后只获得第九名。

3

1908年，南非一名选手在马拉松比赛中本来处于领先位置，后来因为喝了别人给他的一杯香槟酒开始胃痛，头晕，退出比赛。

喝了香槟酒

失去一次掷骰子的机会。

1896年，澳大利亚一位自行车选手在自行车比赛时带了一位男仆，来给他提供饮品，结果还没到比赛终点，他已经筋疲力尽，气喘吁吁，可是他的仆人却没事。

雇佣一个男管家

前进4步，然后停下休息。

1960年和1964年的马拉松比赛的冠军是做完阑尾炎手术后参加的比赛，比赛中他感觉非常好，比赛后他又接着锻炼了5分钟。

做了阑尾炎手术

再前进10步。

1988年女子马拉松比赛的冠军在比赛时将帽子反戴，以压住挡在眼前的头发，并防止太阳晒黑她的脖子。

将帽子反戴

回到起点

厌倦了

1952年的马拉松比赛冠军是第一次参加世界比赛，而且，比赛完，他宣布这是一项非常令人厌倦的比赛，并决定退出比赛。打破纪录6分钟。

直接跑到体育场。

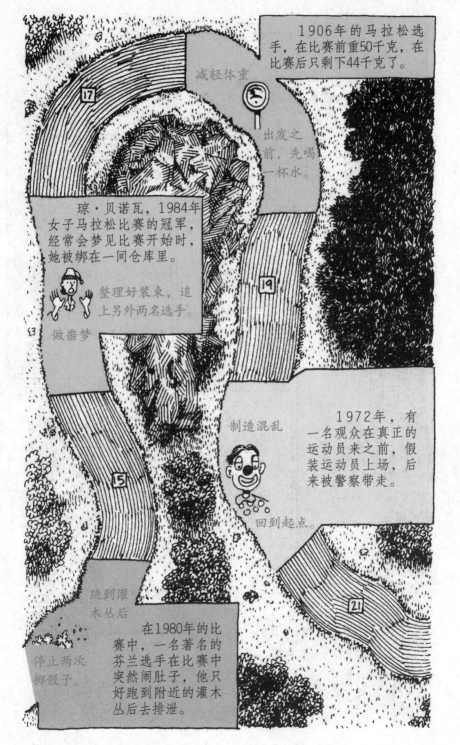

1906年的马拉松选手，在比赛前重50千克，在比赛后只剩下44千克了。

减轻体重

出发之前，先喝一杯水。

17

琼·贝诺瓦，1984年女子马拉松比赛的冠军，经常会梦见比赛开始时，她被绑在一间仓库里。

整理好装束，追上另外两名选手。

做噩梦

19

制造混乱

1972年，有一名观众在真正的运动员来之前，假装运动员上场，后来被警察带走。

回到起点。

15

21

跳到灌木丛后

在1980年的比赛中，一名著名的芬兰选手在比赛中突然闹肚子，他只好跑到附近的灌木丛后去排泄。

停止两次掷骰子。

1904年，一名马拉松选手因为筋疲力尽，在比赛途中上了一辆轿车，快到终点时，又跑出去冲刺，结果被终身禁赛。

25 因为欺骗，被捕

被淘汰出局，并且不能再次参加比赛。

1908年的伦敦奥运会，一名意大利选手在比赛中两次晕倒在一名助手和官员的帮助下到达终点。虽然违反规定，但是亚历山大王给他一个特别的奖项，以鼓励和安慰他。

你已经筋疲力尽了

1948年比赛中的一名选手，在马上到达终点时，无力再跑，被其他两名选手超过。

别人帮了你一把

让其他两名选手超过你。

虽然违反规定，但是会得到一个安慰奖。

中暑

1912年葡萄牙一名运动员死于中暑。

23

退出比赛

1912年，一名日本选手因体力消耗过大，退出比赛。但他宣称他会回来。果然54年后，他重回赛场，他的两场比赛的间隔时间是54年2天32分20.3秒。

因为筋疲力尽而退出

五十四年后重回比赛。

术语

马拉松游戏的奖品

第一个到达的是胜利者，当然这就像奥运会需要给胜利者金牌一样，你也要设立一些奖项。

你知道吗？

在雅典举行的第一届现代奥林匹克运动会上，希腊人没有赢得一枚金牌。当比赛进行到最后一个项目马拉松时，他们已经绝望了。奖品的提供者来自不同的国家。那么，下列哪些奖项是由希腊人提供的，以奖励为他们赢得1896年马拉松比赛的冠军呢？

a）一桶酒。

b）900千克巧克力。

c）终身免费刮脸。

d）将一个女儿嫁给他，并给100万希腊金币。

e）终身免费提供服装。

答案

所有的选项。

路易斯——这个希腊的牧羊人赢得了比赛，他很快就放弃了所有的奖品，而只要了一匹马，一辆车。

热情的观众

奥林匹克的明星是奥运会的运动员，但有时观众也情不自禁地参加进来。

直爽的斯巴达人

这当然也发生在古代的奥运会上，斯巴达人里查斯非常希望赢得马车比赛（在那时，马车的主人和马才是胜利者，而不是骑手）。麻烦的是，当时斯巴达人是不允许参加比赛的，因此，里查斯用假名混进了马术队，在观众席上观看。

太棒了，里查斯的马术队赢得了比赛！他自己掩饰不住喜悦，就离开观众席，冲向裁判，去领取他的奖品。"可惜呀！"裁判看出他是斯巴达人。因此，他不但没有得到奖品，还遭到一顿鞭打。

萨德霍斯的麻烦

像里查斯一样，萨德霍斯也激动地参加到运动中，那个激动的瞬间发生在1972年。

他坐在奥林匹克运动场上，周围都是热切期待马拉松运动员冲刺的观众。在每个人都入迷地观看比赛时，只见他：

——脱下上衣。

——脱下衬衫。

——脱下裤子，仅剩下背心短裤，穿得像运动员一样，然后跳进跑道。

——假装像个运动员一样跑起来。

观众刚开始没反应过来，他在跑道上跑了一大段时，人们还在大声欢呼，当醒悟过来后，观众们才发出嘘声。最后保安进来将他带走，观众又欢呼起来。

激动的父亲

1952年，另一名观众表现得更离谱。当法国运动员热·布瓦特刚刚赢得400米自由泳比赛时，突然，泳池另一边溅起很大的浪花，一名观众跳进水池，他可不像萨德霍斯那样穿着泳装，而是全副武装——甚至还戴着他的法国贝雷帽呢！

其他人来不及阻止他，他直接游向布瓦特，你知道这名冠军的表现吗？他平静地接受了这一切，允许这名观众亲吻他的双颊，然后把他送出游泳池。

奇怪吗？不必奇怪——因为这名观众是他的父亲！当他看到自己的儿子取得胜利时，太激动了，竟直接跳到泳池里来表示祝贺！

爸爸，你跳水的浪花太大了！

大多数观众都需要坐在观众席上，只有一次，一名观众被邀请出来加入到比赛中，那是1900年8月26日……

超级替补

"爸爸，"小男孩看到他爸爸穿上外衣问道，"您要到哪儿去呢？"

"去河边，菲力普。"他爸爸答道。

"为什么啊？"这是小男孩挂在嘴边的一句话。

他爸爸笑着回答："因为今天有比赛呀。"

"为什么？"

"因为这是奥运会的一个项目，这项运动就在巴黎举行。"

"为什么？"

"哎呀，菲力普，你为什么不和我们一起去看看呢？"菲力普满意地点点头，他微笑着，这次他又得逞了。他总是这样，总是不停地问，他爸爸为了能安静一会儿，只好带他一起去。

他蹦蹦跳跳地同爸爸出发了。他们沿着塞纳河走，八月的天气非常晴朗，横穿巴黎的塞纳河水也比平时显得平静。

河对岸有许多人在欢呼。"看那些旗帜，菲力普！"爸爸指着河面上一排排五颜六色的旗帜说。

"它们有什么用？"菲力普问。这又是一个他特别喜欢问的问题。"指示赛艇的航道。"就在他们说话的时候，他们听到了比赛开始的枪声。"快看，菲力普，"男孩的父亲喊道，"看那

儿！"菲力普看到远处有三艘赛艇，每艘赛艇上有三个人，可只有两个人弓着腰，在奋力摇桨。

"那个人没有划船。"菲力普说，他突然意识到他没有说他的口头禅，"为什么啊？"

爸爸告诉他："那个人叫舵手，舵手不用划船，他为船掌舵。"

"这很简单，如果让我来掌舵，我也会。"菲力普说，因为他曾经多次为爸爸的小船掌舵。

他们看到那两条船不分胜负，争夺非常激烈。

"快走！"他爸爸喊，"让我们看看谁能先到终点，冠军将在这两条船中产生。"他们朝终点走去。菲力普跟着他爸爸，穿过拥挤的人群。

到达终点后，菲力普从拥挤的人群中挤出一条缝，来到队伍的前面。"这是荷兰队的船，"爸爸说，"他们第二个到达终点，可他们看起来一点儿也不高兴。"

菲力普也看出来了，这两个划手摇着头生气地看着舵手，"他太胖了，"一个人说，"就是他让我们慢了下来的！""我同意，"另一个人说，"照我们这样下去，在决赛中我们肯定得不了第一！"第一个人转向第二个人："怎么办？"第二个人说："让他去减肥。"第二个人用手指着舵手。

"不可能，今天下午就要决赛了。"

"那么，还有一个办法。"第一个人说，"再换一个舵手。"

"另一个舵手？"

"是的，另一个舵手，找一个轻一点儿的人来掌舵。"

两个人互相望了望，绝望地摇了摇头，没有希望了，就在这时，他们听到一个稚嫩的声音对他们说："我很轻，"是菲力普，"我会掌舵。"

在这个1900年夏季的比赛中，接下来的几秒钟，这两个荷兰人换掉了他们的舵手，没让他参加决赛——因为他太胖了。他们换上了这个法国小男孩，当时还不知道小男孩的名字，只知道他大约7～10岁。他是奥运史上最小的金牌获得者，因为换了他来掌舵，荷兰队以0.2秒的微弱优势，终于赢得了冠军！

抓获

最后，是关于两个不希望被打扰的观众的故事。

1992年巴塞罗那奥运会上，有两个巴西球迷正在全神贯注地看自己国家的比赛。在比赛现场，所有记者也正热火朝天的忙碌着实况转播工作。比赛间歇，一个摄像镜头切向现场观众……不久，那两个球迷被抓获了。原来他们是在巴西诈骗了1000万英镑的逃犯。

为了获胜，不择手段

运动员们都想赢（难道我们就不想吗）。但是有些人，仅仅是有些人——他们为了赢得比赛会不择手段，这就是欺骗。只要有竞争存在，欺骗就存在。希腊诗人荷马曾写到，希腊的天神也曾经这样做！

奥德赛和阿贾克斯进行赛跑，二人不分先后，奥德赛想：怎么办呢？他只能做一件事——向雅典娜女神请求帮助！"雅典娜女神，让阿贾克斯倒霉。"

接着，阿贾克斯突然脸朝下栽倒在牛粪上！奥德赛赢得了比赛！

真是一件肮脏的事，你会这样说吗？（毕竟对于可怜的老阿贾克斯来说只剩下一件事了，那就是把牛粪清洗干净一些！）

看看下面这个例子，很好地说明了欺骗和罪恶在古希腊也是存在的。虽然在开幕式上，运动员都要宣誓他们会公平地参加比赛。可他们仍然在玩一些小把戏。

你能把以下这些他们常用的做法和比赛联系起来吗？

a）在转弯处推人。　　　　　　　1. 五项全能。

b）把沙子揉进对方的眼睛里。　　2. 马车比赛。

c）咬。　　　　　　　　　　　　3. 田径。

d）贿赂裁判让你得冠军，即　　　4. 摔跤。

使不能完成比赛。

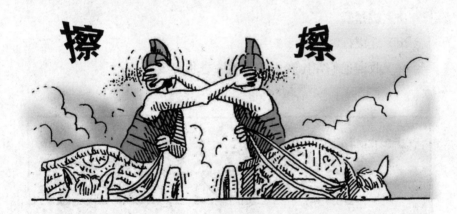

答案

　a）3。在跑弯道时让对手跑外道。

　b）4。当然是那些不光彩的选手做的事。

　c）1。据说会因此导致牙疼呢！

　d）2。明显的例子是尼禄——那个皇帝。还记得他做的

好事吗？

100多年来，历代奥运会也是如此，有的运动员使用各种手段帮助自己获胜。一些手段很卑鄙，一些很自私，一些很肮脏……但最不能让人容忍的是以下几种。

贿赂

通常，奥运会是不允许电视摄影记者靠近的，比赛结果完全由裁判来定。因此，贿赂裁判帮你赢得比赛也是一种手段。另一种手段是贿赂你的对手，最早的这类贿赂发生在公元前388年，一个叫作普勒斯的拳击手通过贿赂他的三个对手赢得了比赛。

那么对犯有贿赂罪的人怎样惩罚呢？

a）付罚金。

b）被禁赛。

c）被鞭打。

d）收回他们在比赛中获得的荣誉和奖金。

答案

a）、b）、c）都有可能，但d）绝对错误。令人奇怪的是，通过贿赂别人赢得比赛的人被允许保留胜利者名号。

通常，欺骗会被处以罚金。钱被用来给宙斯建一座碑。在碑的底部，会写上这样一段话："奥运冠军赢的是速度和力气，而不是金钱。"这听起来很动听，但是由于欺骗所获得的奖项不被取消，所以这段话听起来就很可笑了。

误判

在现代奥运会的很多例子中，裁判不需要贿赂，就不由自主地偏袒一方。虽然在开幕式上，裁判都许诺不站在任何一边。但当事情发生时，你能说些什么呢？

▶ 1906年，纪念奥运会举办10周年的比赛在雅典举行。一个叫乔治·博哈格的希腊选手有望能包揽1500米和8000米比赛的冠军。结果，这两场比赛他都失利了。令人震惊的是他竟然赢得了1500米竞走比赛的冠军。然而，他获胜的原因很简单，因为其他选手都被裁判取消了比赛成绩。

▶ 1908年中量级拳击比赛中，裁判明显偏袒获胜方约翰·道格拉斯。虽然裁判不承认，但他也姓道格拉斯——而且是冠军的父亲。

▶ 另一个著名的例子发生在1952年，10千米竞走决赛。当时，瑞士选手和苏联选手竞争激烈，不分胜负。他们越走越快，离终点还有30米的时候，他们忘记了是在竞走，都奔跑了起来！你知道发生什么事情了吗？这些偏心的裁判（都是反苏联的）都说他们没有发现什么违规行为——尽管竞走者无视裁判，跑向终点！

▶ 直到1988年的汉城奥运会，状况仍没有好转。当时，相当数量的韩国拳击选手获得高分。在一个回合的比赛中，韩国选手被裁判判定为击败了美国的选手。很多裁判对此结果表示怀疑。后来这名美国选手被授予了本届比赛最佳表现奖。

抢 跑

抢跑是赛跑比赛中最常犯的错误。所谓抢跑就是在发令枪响以前起跑。

在古希腊比赛中，如果你抢跑，会受到什么惩罚呢？

a）你必须付罚金。

b）你被禁赛。

c）你受到鞭打。

d）比赛中获得的奖金和荣誉将被收回。

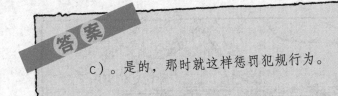

答案

c）。是的，那时就这样惩罚犯规行为。

现代奥林匹克运动会的赛跑规则是如果你抢跑了2米，那么你就会被取消比赛。但这项规则已经取消很久了。1904年，赛跑选手每抢跑一次，就得退回2米，所以，美国选手阿尔奇·哈恩的金牌唾手可得。因为其他选手一次次抢跑，不停退后——阿尔奇最后轻易地获得了金牌。

有时，你虽然对了，可是，裁判却不这样以为。1972年，在1000米的自行车赛中，苏联选手瑞普是怎么做的呢?

1. 在发令枪响之前，瑞普就冲出了。

2. 他意识到了自己的错误，认为裁判会重新发令。因此，自己停了下来。

最后的结果是，他被宣布取消比赛资格，不是因为他抢跑，而是因为他中途停了下来。（很明显，裁判没判断出他的错误起跑。因此，这名运动员成了无辜的替罪羊。）

混乱的场面

有些时候攻击对手是被允许的，但绝不应该发生在赛跑比赛当中。在古代奥运会的比赛中，这样的小动作却时常发生。在往返跑和长跑比赛中，运动员没有自己固定的跑道，他们只能向同一方向冲，绕过终点的柱子再返回起点。让我们来看一下，下边的运动员们都做了哪些不该做的小动作!

103

▶ 绊人（另一个人摔了个嘴啃泥）

▶ 狠抓（下流的举动，可别忘了，那时参赛选手都是赤身裸体的）

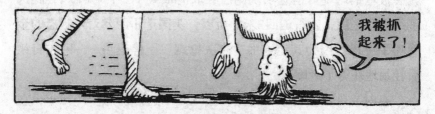

▶ 阻挡（以便于队友冲刺）

▶ 绕过柱子，跑小圈不跑大圈（这也许是走捷径的第一个范例了）

不是自己人

信不信由你，1908年的400米比赛场确实发生了一个类似的问题。那时，没有专门的跑道，参赛的4名选手，有3名来自美国，1名来自英国。当比赛进入冲刺阶段时，美国选手卡彭特和英国的霍尔斯韦尔不分胜负。当霍尔斯韦尔试图超越时，卡彭特总是挡在他的前面。最后裁判宣布，重新比赛。那么，在重新比赛的过程中，发生了什么事呢？

　　a）卡彭特赢了。

　　b）霍尔斯韦尔赢了。

　　c）谁都没赢。

答案

　　b）。霍尔斯韦尔赢了——只有他一人参加了比赛。卡彭特和其他两名选手都拒绝参加比赛，这是奥运会历史上唯一一次只有一个人参加的比赛。此后，赛跑比赛为每个选手都划分了专门的跑道。

混战

混乱的比赛中也存在很多欺诈的机会。下列哪些做法是古代运动会允许的，哪些是现代奥运会所允许的？

a）打击颈部（被称作野兔打法，因为这是一种杀死野兔的方法）。

b）击打膝盖以下。

c）用肘部击人。

d）把人打倒在地上。

e）用牙咬。

f）挖——用手把眼睛挖出来（当然是你的手，别人的眼睛）。

答案

　　古代奥运会拳击比赛中，a）、b）、c）、d）都可以，e）和 f）是被禁止的。在现代比赛中，一项都不允许。

"我要告诉裁判！"这或许就是马林的喊声。1924年，拳击比赛中，哈里·马林正在和一名法国选手较量，他已经败了一个回合。忽然，马林声称这名法国选手：

a）亲吻他的双颊。

b）在他的耳边说粗话。

c）咬他的胸部。

答案

c）。裁判检查了马林的胸部，果然发现了牙印，于是马林被判赢得了金牌。

关于两名法国自行车选手，又有什么故事呢？

在1936年的100千米公路自行车比赛中，盖伊·拉普彼克刚好在罗伯特·卡彭蒂埃的前面，他们都要冲向终点。突然，拉普彼克跌倒了，卡彭蒂埃超过他，并以一秒的优势赢得比赛。那么，拉普彼克究竟遇到了什么事呢？

a）轮胎坏了。

b）背部受到攻击。

c）脚踏板坏了。

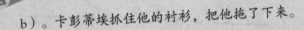

来自背后的强行刹车！

答案

b）。卡彭蒂埃抓住他的衬衫，把他拖了下来。

安装监控设备

在古代奥运会上，贿赂教练和对手很容易。可是，在现代奥运会上，由于安装了各种摄影和摄像设备，在比赛中想要作弊可就没那么容易了，可有一些运动员总是试图作假。

自作自受

举个例子，在击剑运动中，很多判断是依靠电子设备来完成的。击剑者戴着的面具上都有电子感应装置，他们比赛用的剑也是如此。通过这种设备只要有一方把剑击到对手面具的有效位置上，裁判的桌上就会有显示。苏联的鲍里斯在1976年愚弄裁判，结果在他出剑还没有击到对手时，裁判桌上的灯就亮了，显示他已经得分了。对手提出了抗议，他将受到什么样的惩罚呢？没办法，只有回家！

抓住点儿东西

另一个有名的例子，就是因为当时没有安装摄像设备。1924年跳高比赛的胜利者美国的哈·奥斯本，他有一套非常有趣的技巧：

1. 起跑。

2. 腾空。

3. 用手握住横杆，这样，即使碰到，横杆也不会掉下来。

4. 着地。

他曾用这种方法，创造了奥运史上1.98米的纪录，并且没有违

反规则！从此以后，跳高用的栏杆设计改进了，只要轻轻一碰就会落地，并且此跳成绩无效。当然，奥斯本的技巧也就用不上了。

兴奋剂

在现代奥运会历史上，有很多名运动员为了获得好成绩而服用药物。

服药的运动员多是举重和拳击选手，他们服药的目的是想增强体能。还有一些是参加射击项目的选手，他们想通过服药来镇定神经，使手可以更平稳一些。赛跑运动员和拳击选手服药，则是为了增加爆发力和速度。

救命！我停不下来了！

为了赢得比赛，他们不顾服药的危险，尽管这种危险时时刻刻存在。1960年的比赛中，丹麦自行车选手叶森就因为服用兴奋剂而死去。

在所有服药的选手中，加拿大选手本·约翰逊的丑闻最著名。1988年奥运会100米决赛中，他击败了美国选手刘易斯赢得了金牌，还创造了新的世界纪录。

但随后的兴奋剂检测。结果显示，他服用了一种叫作"类固醇"的违禁药品，所以获得了额外的力量。于是他立刻被取消比赛资格，金牌发给了美国选手刘易斯。

约翰逊获得"世界上最快的人"称号的时间只维持了两天。

谁? 我?

奥运会关于药物的规定是非常严格的, 有时, 有些运动员在不知情的情况下就服用了禁用药。1972年美国运动员里克·戴梦德赢得了400米自由泳的冠军, 但赛后, 他被取消了比赛资格。虽然他没有故意服用违禁药品, 但是, 因为他是一名哮喘病患者, 他服用的治疗药物里含有禁用成分。

运动员想通过服用药物来赢得比赛是一件愚蠢的事情, 尤其是明明知道没有效果还要服用就更加愚蠢了。被查出服用兴奋剂的运动员中, 最老的一位是摩纳哥的保罗。他参加1972年的飞靶比赛时, 已经65岁了。被查出使用兴奋剂后, 他的比赛成绩被取消。但这对他并没有实际的影响, 因为, 他是44名选手中的第43名。

你不能走! 除非……

服用违禁药品是一件很严肃的事情, 但也有它有趣的一面。想象一下, 你赢得了奥运金牌, 接下来就要做兴奋剂检测了。

⑤ 检测人员检查瓶子里的东西，来判断你是否服用了兴奋剂。

不管怎样，检测人员如果得不到他想要的东西，他是不会离开的，无论需要花多长时间！在步骤④和步骤⑤之间，会花费你更多的时间。有时，也需耐心等待更长时间……

拳击手的豪饮

1968年，英国的克里斯·芬尼根赢得了中量级拳击比赛的冠军。在尿液检测中，他无尿，检测官员只好给他一杯啤酒。可他仍然不行。他们又给他一杯……就这样，一杯接一杯，直到第二天早晨，芬尼根才有了一点点尿液。这时候，他已经喝8杯啤酒了。

毛毛细雨

新西兰选手罗德·狄克逊也遇到了一个同样的问题，1972年，他在1500米的比赛中获得了第三名，在厕所里待了一段时间后，他羞怯地探出头，递过瓶子，瓶底只有几滴尿液。"够了吗？"他问道。

检测人员眉头紧锁，最后还是点了点头："如果是金牌，就不够。既然是铜牌，就这样吧！"

芬兰的吸血鬼

服用违禁药品是把身体以外的一些东西注入自己的体内，使自己表现更加出色。但是，如果把自己身体内的东西再次注入自己体内，那就是被允许的。芬兰有一名赛跑运动员，拉塞·维伦，在这方面就很有名，他就是用自己的血使自己充满力量的。

他是这样做的（读者们可不要尝试，这会把你的厨房弄得一片狼藉的）。

——假如他抽出自己的1升血。

——把它放在冰箱里。

——躺下休息，直到有新鲜的血液补充到身体里。

——下次比赛前，他把冰箱里的血拿出来（一定要确认是自己的血，而不是黑色的冰糖）。

——解冻。

——把血注回自己体内。

——出发，参加比赛。

这种被称作"血液刺激"的做法，目的是通过增加一定量的血液，使自己的身体更有耐力。

这听起来让人恶心，而且，维伦自己也不承认自己用了这种办法，报道也没有证实，大家只是认为这种血液刺激法是在维伦时代发展起来的。而且，是否真的对身体有益，也值得怀疑。维伦声称他取得成绩归功于他的训练。无论真假，维伦都是一位出色的运动员，在1972年和1976年的奥运会上，他赢得了5000米和10 000米的金牌。

你是谁？是男是女？

还记得卡丽法塔莉吗？在古代奥运会中，她女扮男装，偷窥比赛——因为那时，女性是被禁止参加比赛的。从此之后，所有参加比赛的运动员都必须裸体。这样，如果女子想要偷窥比赛就很容易被揭穿。

在现代奥运会的比赛中，性别检查是从1968年开始强制执行的。但是不像前面的例子，检查的目的不是要把女扮男装的偷窥者找出来——恰恰相反，检查的目的是想把扮作女运动员的男性给找出来。有很多女性拒绝这项检查，她们认为这种检查是不公平的。

男扮女装可不是一件容易的事情，在1936年的运动会上，一个叫作乌拉吉·维奇的运动员被发现是男扮女装，这对他来说并没有好处，因为，他只取得了第四名。

奥运会逸事

自这项规定设置以来，只有一个人没接受性别检查——她就是英国的安妮公主。

比赛时的小动作和真正的竞赛精神

问题：什么算欺骗，什么不算是真正的欺骗？

答案

当它是一种不犯规的小动作的时候。不犯规的小动作实际上就是分散对手的注意力，让他精神松懈。

精神干扰

聪明的捷克选手埃·扎托皮克在这方面可是高手。1952年，他第一次参加马拉松比赛，在成功地领跑了24千米后，他慢了下来，被英国的选手吉姆·彼特斯赶上。

当彼特斯——最有希望赢得比赛的选手开始喘息的时候，扎托皮克对他说：

虽然我没参加过马拉松比赛，但是，难道你不认为我们应该更快一些吗？

说完这些，他轻松地赢得了比赛，留下了筋疲力尽的彼特斯。

真正的运动员

真正的竞赛精神和那些小动作是完全相反的。

体现真正竞赛精神的行为是让对手觉得很舒服，而不是觉得很糟糕。就像美国的运动员伊比撞倒了拉德，他马上跑过去对他说："对不起！"

测试一下，看看你是否是一名真正的运动员！

如果你想知道你是否是一名真正的运动员，那么，就来回答一份问卷吧，所有的测试题都是真实发生的故事。

1. 假设你是哈罗德·亚伯拉罕。1924年，你被选派参加100米赛跑和跳远比赛，可是你想集中精力参加100米赛跑，你会怎么做呢？

a）不管怎样，在两项比赛中都尽最大的努力。

b）给报社写一封信，宣称选你参加跳远比赛是一件愚蠢的事情，然后把报纸拿给选拔运动员的人看，请求他原谅。

2. 假设你是麦克阿瑟。在1912年的马拉松比赛中，你的对手吉尔山姆说要在下一个给养站停下来喝口水，你说会等他。那么，你会：

a）真如你所说的那样等着他。

b）在他喝水时，加把劲超过他。

3. 假设你是法国的杜基斯尼，在1928年的越野赛中，对手是从来没参加过比赛的努尔米。比赛中，他在一个障碍前跌倒了，你会怎么办？

　　a）停下来扶起他。

　　b）从他身上跨过。

4. 在同一场比赛中，假设你是努尔米，在最后冲刺时，你

　　a）让杜基斯尼赢，感谢他帮你。

　　b）像他对你那样，扯他的后腿。

5. 假设你是埃·扎托皮克，在1950年的10 000米赛跑中，你在领先，并且感觉非常好。那么，你：

　　a）继续跑，冲向终点。

　　b）开始大口喘气，假装快不行了，直到有人赶上你时，才开始冲刺，超过别人。

6. 假设你是努尔米，在1920年的10 000米项目中，你：

　　a）尊敬地看着对手。

　　b）不停地看表，看看自己每圈所用的时间。

7. 假设你是吉耶莫，在1920年的赛跑比赛中，努尔米赢了你，那么在终点时，你是怎样做的呢？

　　a）和他握手。

　　b）吐了他一身。

8. 假设你是拉·克雷格，在1912年的100米起跑线上，虽然禁止抢跑，但是如果你真的起跑犯规，却不会被取消资格，那你：

a）遵守规则，枪响后起跑。

b）尽可能提前起跑，确保成绩。

9. 假设你是德国选手鲁兹·朗，在1936年的跳远比赛中，德国独裁者希特勒警告你，一定要超过黑人运动员杰·欧文斯，他已犯规两次，再有一次，就会出局，这时，你会：

a）给他一些有用的建议。

b）给他一些错误的建议。

10. 假设你是比尔·亨利，美国播音员。1932年的洛杉矶奥运会上，芬兰选手莱赫蒂宁在故意阻挡美国选手希尔两次之后，赢得了5000米决赛，这时观众都发出嘘声，你怎么做呢？

a）安慰观众，不要再起哄。

b）也加入进来，和观众一起起哄。

当时的情况是这样的

1. b）。1924年，哈罗德·亚伯拉罕被选派参加两个项目，他给《每日快报》写了一封信，没有去参加跳远比赛——并且赢得了100米的冠军。

2. b）。麦克阿瑟食言了——但他赢了。

3. a）。杜斯基尼停下来，把努尔米扶了起来。

4. a）。努尔米让杜斯基尼赢了。

5. b）。虽然又是摇晃，又是喘息，但他仍然提前42秒，打破了世界纪录。

6. b）。努尔米在每次比赛中都是这样，只是在最后冲刺时，才把表扔在地上。

7. b）。很公平，比赛被提前了4个小时，吉耶莫刚刚吃过东西。

8. b）。克雷格抢跑三次。（如果是现在的运动会，只要提前起跑两次，就会被取消比赛资格。）但是在那场克雷格赢得的比赛中，其他队员也是如此，比赛中出现了7次抢跑。

9. a）。朗建议欧文斯在其跳板前几尺内画一条线，这样能很好地起跳。欧文斯接受了他的建议，获得了金牌，还打破了世界纪录，而朗取得了第二名。

10. a）。亨利安抚观众，劝慰大家说："所有来到我们国家的人，都是我们的客人。"

你的分数怎样？

如果a）比b）多，那么你就是一名真正的运动员。

如果b）和a）一样多，那么，你具有运动精神，但不总是这样。

如果b）比a）多，你要被警告了。

如果都是b），我需要将双手都绑在背后，才能保证不把你扔出去！

奥运史上的"倒霉"蛋

不是所有人都能获得奥运会的冠军，有一些人很无奈地失去了比赛，还有些人甚至都无法接近比赛，猜猜看，这是为什么？

米·伊夫特 埃塞俄比亚运动员，1972年，他因为迟到，没能参加比赛，这是为什么呢？

a）他上厕所花了太长时间。

b）他迷路了。

c）他走错了检测口。

没有人知道真正的原因，但三种说法都有。后来经常有人拿这件事开玩笑。

艾萨亚斯　来自苏里南。1960年，他错过了800米比赛的第一轮预赛，因为：

　　a）他的表停了。

　　b）比赛时间通知错了。

　　c）他起床晚了。

答案

　　b）和c）都是，他被告知要在下午举行比赛。因此，当比赛真正开始时，他还在床上休息。艾萨亚斯的烦恼还不止如此，他是苏里南唯一参加过奥运会的运动员，可他甚至都没上跑道，然后就要回家了。

罗伯逊和哈特　美国运动员。1972年，他俩都错过了100米的半决赛。他们在下午才得知这个消息，是通过什么渠道呢？

　　a）他们看了晚报。

　　b）他们在电视中看到了这场比赛。

　　c）他们接到了美国总统的电话。

答案

b）。他们正在看电视，发现他们将要参加的那场比赛马上开始，运动员们都在热身（第二天，他们也看了报纸，但可以打赌，总统是决不会给他们打电话的）。

124

玛丽·德克尔　美国运动员，她是世界纪录的保持者，而且是3000米赛跑冠军呼声最高的人，但却有事情阻止了她夺得金牌，这件事情发生在哪年？

a）1976年。

b）1980年。

c）1984年。

（答）案

　　以上三个答案都对，玛丽·德克尔总是与冠军失之交臂。1976年，她受伤了；1980年，美国被取消了比赛；1984年，她终于又参加了比赛，但在比赛中她绊倒了左拉·布德，最终没能赢得比赛。

令人伤感的时刻

　　玛丽·德克尔的不幸，在奥运会的历史上只是很小的一件事，在古代奥运会上，从武装赛跑中短裤掉下来开始，已经发生了形形色色的事件。玛丽·德克尔的不幸已经成为过去，不会再被人提起。还有很多运动员虽然也经历了各种各样的麻烦，但幸运的是，他们最终赢得了金牌。让我们再来答一份问卷：

　　1. 1904年古巴运动员费利兹·卡瓦亚尔自费出发去美国，想去参加马拉松比赛。很不幸，发生了什么事呢？

　　2. 还有15分钟，美国运动员查理斯就要去参加1956年的最轻量级举重比赛了，在赛前的体重检测中，很不幸！他超重了200克！接下来发生了什么事？

剪掉

3. 瑞典选手拉斯马森在4000米比赛中，他的对手是意大利的马萨拉。这是1984年现代五项中的最后一项，在最后一个弯道，拉斯马森领先……不幸！接下来发生了什么事？

4. 1952年的运动会中，澳大利亚选手玛·杰克逊在获得3枚金牌后，参加4×100接力赛，在他接起第四棒刚刚领先时，不幸！接下来发生了什么事？

5. 自行车选手库克博格正在参加1908年的100千米自行车赛。不幸！一名裁判突然跑到他的赛道，他狠狠摔倒在地！几天以后，在16千米的比赛中，不幸再次降临！这次又发生了什么事？

6. 1988年，美国的格雷格·洛加尼斯正在参加跳板跳水，他想再一次赢得比赛，在他从空中跳下后，不幸发生了。不幸！发生了什么事呢？

7. 在1932年的铁饼比赛中，法国的诺埃尔

旋转一圈，投出了他的最好成绩。很不幸，这次成绩不算数！为什么呢？

8. 捷克斯洛伐克队的金·索伯达非常希望能在1980年和联邦德国的足球比赛中一决高下。可是，很不幸，他只能作为替补队员参赛。接下来发生了什么事呢？

9. 1924年，手枪射击比赛中，美国的贝利正在参加决赛。他要在10秒内射中6个目标。计时开始了，但是，很不幸，他的枪落在了地上，接下来该怎么办呢？

10. 1960年的标枪比赛中，英国的休·普拉特在第三轮的循环赛中，他的标枪成绩可以拿到银牌，后来……不幸！到底发生了什么事？

答案

1. 他的卡被盗用，丢了所有的钱，他不得不步行去美国。还好，他赶上了比赛，虽然，他还穿着重重的鞋子，长长的裤子，还戴着一项贝雷帽，有人帮他把长裤截成短裤，扔掉多余的装束，他成功地获得了第四名。

2. 他剪掉头发，轻了200克，并最终赢得比赛。

3. 拉斯马森摔在了跑道旁的盆景上，马萨拉超过他，并以13分的微弱优势赢得了金牌。

4. 杰克逊的接力棒掉了，澳大利亚队输掉了比赛。

5. 又有一名裁判跑到他的面前，他又跌倒了！

6. 他的头撞在了跳板上，但他很坚强，坚持完成了比赛，并获得金牌。

7. 所有裁判都在看撑竿跳的比赛，他们要求让诺埃尔再投一次。结果，诺埃尔再也无法发挥出刚才的水平。最后，诺埃尔痛失金牌，只取得第四名。

8. 索伯达在19分钟后上场了，并赢得了比赛唯一的一分。

9. 贝利平静地捡起枪，并及时打中他剩下的5个飞靶，他的对手错过6个飞靶中的2个，贝利最终赢得了金牌。

10. 休·普拉特高兴得跳了起来，却发现扔错了路线，他的这一投无效。后来，他再也无法投出更好的成绩，最终他与奖牌无缘，仅获得第四名。

如何面对失败

很明显，当你赢得比赛时，肯定是又唱，又跳，又欢呼。

但是，当你失败时，你会怎么样呢？

比如，你本来很有希望获得某项比赛的冠军，结果很不幸，你只获得倒数第二名，那么你会怎么样呢？是又蹦又跳，又吵又闹？还是回到家里生闷气——狠狠地击打你的玩具熊，教你的宠物说脏话？

让我们看看奥运会上的运动员们，他们在失败后都做了些什么。

剃头

▶ 1960年，苏联选手埃·奥佐琳娜在标枪比赛中失利，她可是上届运动会中这个项目的冠军，一气之下她跑到理发店，剃了个光头！

▶ 或许她是在学1960年的日本摔跤队，他们当时的表现都很差，于是集体到理发店剃了光头。

一切都结束了

▶ 另一个日本选手卡卡齐更可悲，1964年，在东京举行的奥运会上，他获得马拉松比赛第三名，他觉得自己给国家丢脸，尤其这又是在自己国家举行的比赛。他认为，唯一的赎罪方式就是在1968年的马拉松比赛中获胜。当他伤害了自己并意识到他不能再参加下届比赛时，就自杀了。

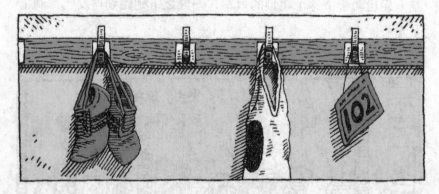

▶ 另一名自杀的也是马拉松运动员——瑞典的恩斯·法斯特。他参加了1900年巴黎奥运会的马拉松比赛。那次比赛的路况非常复杂，恩斯迷路了。如果我们迷路了会怎么样？肯定是要去找警察。不错，恩斯也是这样做的，只是，警察把路又给指错了。可这也不足以让他自杀呀！问题是，警察在指路的同时，又嘲笑了他一番，恩斯受不了了，就自杀了。所以我们大家一定要记住这个悲剧，不要随便嘲笑别人哦！

喂，看那里！

直接把悲伤化作行动的是英国的艾伦·沃伦和戴维·亨特，1976年，他们在帆船比赛中失利后，就把帆船点着，扔进湖里，看着它燃烧。或许，只有当船沉底后，他们才会觉得满意（我敢打赌，在他们眼中，奥运会一定是燃烧的奥运！）。

升级版——奥运会上的争执

古代奥运会上，第一名会获得橄榄枝。那么，第二名和第三名会获得什么呢?

a）什么也没有。

b）裁判的握手。

c）一份声明。

d）一片橄榄叶。

啊哈，你们都是失败者！

这个冠军真不怎么样！

答案

a）。什么也没有，古代奥运会上，只有冠军才算赢。

在现代奥林匹克运动中，在比赛中获胜变得更加重要，这就意味着，在激烈的比赛过后，关于谁最终获胜，总会有一些争论的。

通常裁判会保持中立，毕竟，解决纠纷是他们的职责，但有些时候，裁判却是发生争执的根源。

▶ 1920年的足球决赛中，比利时以2：0战胜捷克斯洛伐克，捷克人愤怒地退出比赛，他们认为裁判不公平。

▶ 1972年的篮球决赛中，美国队对战苏联队。在比赛即将结束时，美国以一分的优势领先于苏联，但裁判宣称，比赛用的表走得不准，又将比赛延迟了2分钟。这样，给了苏联队足够的时间进行反击。这是历史上美国第一次没有获得篮球比赛的冠军。

▶ 裁判宣布，在100米自由泳的比赛中，澳大利亚选手战胜了美国的选手。虽然电子计时器上显示的是美国选手领先0.1秒（从此以后，人们通常按照电子计时器来排名）。

无声的抗议

有时，抗议的最好方式是什么都不说，只是继续比赛并获胜。这里就有几个最终成功的例子。

▶ 1906年，400米选手，美国的保罗·皮尔格林没有被选入国家队，他以个人的名义自费去雅典参加了比赛，并最终获得冠军。

▶ 福·史密森是一名虔诚的基督徒，1908年在一个礼拜日举行的110米栏比赛中，他左手拿着一本《圣经》参加比赛，成功地闯入决赛，并且打破世界纪录获得冠军。

▶ 苏格兰选手艾·利德尔也是如此，他的故事在电影《大马车》中提及。他没有参加100米预赛——因为那天是周日，他停止一切活动。但他在另一天的400米的比赛中，打破了世界纪录。

另一个出局的人！

当然，也有人因为这种沉默的抗议，而没有获得好的结果。

1988年，一名韩国拳击运动员因为顶撞裁判而受罚，当一个回合失利后，他一屁股坐下来，表示抗议，拒绝离开赛场。他足足坐了67分钟（完全有时间再战22个回合），但裁判并没有因此而改变主意。

就这样结束了吗

奥运会开幕时，要举行一个盛大的仪式，闭幕也是如此。当然古代奥运会也有开幕式和闭幕式。那时的闭幕式是这样的：

▶ 给冠军戴上橄榄枝花环（但亚军就什么都没有了）。

▶ 向宙斯祷告，感谢他的保佑。

▶ 屠宰牛羊用来犒赏胜利者。

1896年现代奥运会开始后，闭幕式的程序发生了很大变化。人们不再向宙斯祷告和屠宰牛羊，并且亚军也可以获得一些奖品。

135

▶ 冠军将获得一枚银牌（不是金牌）和一束橄榄枝。

▶ 亚军将获得一枚铜牌和一束月桂枝。

随着时间的推移，颁奖仪式和闭幕式渐渐分开，现在的程序是，在比赛结束后先给1、2、3名发奖牌，然后播放冠军所在国家的国歌。

你知道吗？

▶ 给第三名选手发放一枚铜牌是从1908年开始的。

▶ 1928年以前，所有的奖牌都在最后一天的闭幕式上颁发。

▶ 以前，集体项目（比如4×100米接力）的所有选手分享一枚奖牌。

▶ 在选手的领奖台上刻上名次1、2、3，这是从1932年开始的。

▶ 一枚奥运金牌本身的价值不超过75英镑，这是因为金牌90％的部分都是硬银，而不是金。但金牌的价值不仅仅是它自身的价格。

给我一枚奖牌吧！

你或许以为，奥运会的发奖仪式是不会错的，那你就错了，在奥运史上曾经闹出很多笑话。

又发生了什么事？

1. 1912年，美国的吉姆·索普准备从瑞典国王手里接过奖牌，国王对他说：你真是世界上最杰出的运动员。索普接着说……

2. 1924年，英国的亚伯拉罕听到他的信箱里"砰"的一声，被投进一个包裹。他打开一看，发现……

3. 1936年，2名日本运动员西田和大江在撑竿跳比赛中获并列第二名，他们都不想加赛分出第二名和第三名，可是只有一枚银牌和一枚铜牌。怎么办呢？

4. 1956年，苏联赛艇运动员维·伊凡诺夫因为得了金牌非常兴奋，他把它抛向空中，但却没能抓住。

5. 1964年，阿贝贝赢得马拉松金牌，国歌响起，升起了埃塞俄比亚国旗……

6. 1972年，经常戴着旧高尔夫球帽的美国运动员戴夫·沃特获得800米金牌，美国国歌响起，沃特庄严地看着国旗缓缓升起。

137

真相

1. "谢谢，陛下！"索普说道。

2. 包裹里是他的100米金牌，因为1924年没有颁奖仪式。

3. 他们把奖牌带到日本，请珠宝商分别切割开，再焊接好。这样，他们每人都有一枚半银半铜的奖牌了。

4. 奖牌落入湖里，然后又补发他一块（澳大利亚的寻宝者说，原来的那一块再也没有找到）。

5. 可是播放的是日本国歌，播放者不知道哪首是埃塞俄比亚的国歌。

6. 他忘了摘下帽子，后来他在电视上看到了，哭着向全国人民道歉。

闭幕式

我们终于等到了闭幕式。这是一场盛大的仪式，要举行很多活动，你认为下列哪一项不可能发生？

▶ 每个国家的6名队员举着国旗步入会场。

▶ 所有运动员聚集到一起，宣称他们在比赛中是团结的，是统一的。

▶ 放三遍国歌：希腊的、东道主国的和下一届主办国的。

▶ 闭幕式贺词。

▶ 下一届主办城市的市长接过奥运会会旗，保管起来。

▶ 熄灭奥林匹克圣火。

▶ 降下整个奥运期间一直飘扬的奥运会会旗，带出会场。

▶ 一个不明飞行物落在赛场中心。

答案

除了最后一项，其他都有可能发生。

但是，在1984年洛杉矶奥运会上，一个不明飞行物飞了下来，直落到赛场中央，从里边走出了一个"外星人"……

太奇异了！真是不可思议！但这并不是一个真正的外星人，他是一名学生，因为长得怪异——他有2.44米高！所以被选来扮作外星人。他的任务是重申奥运会是一件多伟大的事件，他说："我来自遥远的星球，因为我喜欢奥运会！"

奥运会结束以后……

奥运会结束以后，运动员们都做些什么呢？有一些人当然是继续比赛了，有很多赛事，像全国锦标赛、洲际锦标赛、世界锦标赛，等等。

但是，如果不再继续运动生涯，他们做些什么呢？

有的人回到原来的工作岗位上，有的人则做起了其他工作。

让我们来做一份测试，看看奥林匹克运动员退役后都做些什么。

1. 1900年的马拉松冠军回去后，他的工作是：

a）屠宰工。

b）面包师。

c）烛台匠。

2. 1920年中量级拳击冠军退役后回到了家后，他的工作是：

a）警察。

b）公车司机。

c）马路清洁工。

3. 在1924年至1928年间赢得5枚游泳金牌的冠军，在大量影片中担任的角色是：

a）人猿泰山。

b）超人。

c）军官的侍从。

4. 1924年男子400米冠军成为：

a）伦敦的牧师。

b）西藏的喇嘛。

c）中国的传教士。

5. 1948年举重银牌的获得者试图做一些对詹姆斯·邦德不利的事情，他是这样做的：

a）用激光束将他砍成两半。

b）把他的头砍下来。

c）用毒蜘蛛把他毒死在床上。

6. 1960年十项全能金牌得主后来成了：

a）一名演员。

b）流行歌手。

c）一名保镖。

7. 1976年，英国马术队的一名队员回家后成了：

a）另一名马术队员的妻子。

b）公主。

c）某位名人的女儿。

（答案）

1.b）。法国的米歇尔·提阿托成为一名面包房的工人。

2.a）。英国的哈里·马林做了警察。

3.a）。美国的约翰尼·韦斯米勒在游泳和爬绳子之间，进行了一次成功的转换。

4.c）。在一个星期天，他为了做礼拜而不去参加奥运会的赛跑比赛。后来，埃·利德尔（英国）成为一名传教士。

5. b）。美国的哈罗德·萨卡塔后来在詹姆斯·邦德的影片《金手指》中演一个相当卑鄙的人，他试图用他的钢头盔檐儿砍下英雄的脑袋。

6. a）和c）。拉·约翰逊成为一名演员（曾经和猫王在同一部影片中出现——当然不是和猫王一起唱歌），然后成了罗伯特·肯尼迪的保镖。

7. 三项都是。安妮公主嫁给了马克·菲利普上校，他于1972年和1976年代表英国参加比赛。他们于1991年离婚，但安妮仍然是公主，是某个著名人士的女儿。

143

最后，但不是最重要的，有一位著名的英国人在一次超重量级摔跤比赛中获得铜牌，很多人都知道他长的什么样子，但几乎没有人知道他的名字是肯·里奇蒙。

或许你也知道他长的什么模样，但我敢打赌你也不知道他的名字，为什么呢？因为他是电视上老电影开始时，那个强壮的敲锣的人。

如果你行，敲敲试试看！

回顾与展望

就像在1984年奥运会闭幕式上出现"外星人"一样，我希望你能喜欢本书中所讲述的故事。

当然，关于奥运会有各种各样的说法，而且不乏诋毁和争议，但奥运会始终处处闪耀着亮点。

那么，为什么不把你听到和看到的事情记录下来呢？或许你可以在下届奥运会开始的时候写一本你自己的《不为人知的奥运故事》呢！

那么，来吧，动脑筋想一个更好的书名吧：《神奇奥运》？《身边的奥运》？《悉尼速读》？

开始吧，该你续写新故事了！

历届夏季奥运会的比赛地点

国家	届	举办年	地点
希腊	第1届	1896年	雅典
	10周年纪念	1906年	雅典
	第28届	2004年	雅典
法国	第2届	1900年	巴黎
	第8届	1924年	巴黎
美国	第3届	1904年	圣路易斯
	第10届	1932年	洛杉矶
	第23届	1984年	洛杉矶
	第26届	1996年	亚特兰大
英国	第4届	1908年	伦敦
	第13届	1944年	伦敦（被取消了）
	第14届	1948年	伦敦
瑞典	第5届	1912年	斯德哥尔摩
德国	第6届	1916年	柏林（被取消了）
	第11届	1936年	柏林
	第20届	1972年	慕尼黑
比利时	第7届	1920年	安特卫普
荷兰	第9届	1928年	阿姆斯特丹
日本	第12届	1940年	东京（被取消了）
	第18届	1964年	东京
芬兰	第15届	1952年	赫尔辛基
澳大利亚	第16届	1956年	墨尔本
	第27届	2000年	悉尼
意大利	第17届	1960年	罗马
墨西哥	第19届	1968年	墨西哥城
加拿大	第21届	1976年	蒙特利尔
俄国	第22届	1980年	莫斯科
韩国	第24届	1988年	汉城
西班牙	第25届	1992年	巴塞罗那

146